고려대 한국어

고려대학교 한국어센터 편

2B

English Version

KU PRESS
고려대학교출판문화원

책을 내며

고려대학교 한국어센터는 1986년 설립된 이래 한국어와 한국 문화를 재미있게 배우고 효과적으로 가르치는 방법을 연구해 왔습니다. 《고려대 한국어》와 《고려대 재미있는 한국어》는 한국어센터에서 내놓는 세 번째 교재로 그동안 쌓아 온 연구 및 교수 학습의 성과를 바탕으로 하고 있습니다.

이 책의 가장 큰 특징은 한국어를 처음 접하는 학습자도 쉽게 배워서 바로 사용할 수 있도록 구성했다는 점입니다. 한국어 환경에서 자주 쓰이는 항목을 최우선하여 선정하고 이 항목을 학습자가 교실 밖에서 사용할 수 있도록 연습 기회를 충분히 그리고 다양하게 제공하고 있습니다.

이 책을 내기까지 많은 분들의 도움을 받았습니다. 먼저 지금까지 고려대학교 한국어센터에서 한국어를 공부한 학습자들께 감사드립니다. 쉽고 재미있는 한국어 교수 학습에 대한 학습자들의 다양한 요구가 없었다면 이 책은 나오지 못했을 것입니다. 그리고 한국어 학습자들의 요구에 부응하기 위해 열정적으로 교육과 연구에 헌신하고 계신 고려대학교 한국어센터의 선생님들께도 감사드립니다.

무엇보다 한국어 학습자와 한국어 교원의 요구 그리고 한국어 교수 학습 환경을 종합적으로 고려한 최상의 한국어 교재를 위해 밤낮으로 고민하고 집필에 매진하신 고려대학교 국어국문학과 김정숙 교수님을 비롯한 저자분들께 깊은 감사를 드립니다. 이 밖에도 이 책이 보다 멋진 모습을 갖출 수 있도록 도와주신 고려대학교 출판문화원의 윤인진 원장님과 직원 여러분께도 감사드립니다. 그리고 집필진과 출판문화원의 요구를 수용하여 이 교재에 맵시를 입히고 멋을 더해 주신 랭기지플러스의 편집 및 디자인 전문가, 삽화가의 노고에도 깊은 경의를 표합니다.

부디 이 책이 쉽고 재미있게 한국어를 배우고자 하는 한국어 학습자와 효과적으로 한국어를 가르치고자 하는 한국어 교원 모두에게 도움이 되기를 바랍니다. 또한 앞으로 한국어 교육의 내용과 방향을 선도하는 역할도 아울러 할 수 있게 되기를 희망합니다.

2019년 7월

국제어학원장 박성철

이 책의 특징

《고려대 한국어》와 《고려대 재미있는 한국어》는 '형태를 고려한 과제 중심 접근 방법'에 따라 개발된 교재입니다. 《고려대 한국어》는 언어 항목, 언어 기능, 문화 등이 통합된 교재이고, 《고려대 재미있는 한국어》는 말하기, 듣기, 읽기, 쓰기로 분리된 기능 교재입니다.

《고려대 한국어》 2A와 2B가 100시간 분량, 《고려대 재미있는 한국어》 말하기, 듣기, 읽기, 쓰기가 100시간 분량의 교육 내용을 담고 있습니다. 200시간의 정규 교육 과정에서는 여섯 권의 책을 모두 사용하고, 100시간 정도의 단기 교육 과정이나 해외 대학 등의 한국어 강의에서는 강의의 목적이나 학습자의 요구에 맞는 교재를 선택하여 사용할 수 있습니다.

《고려대 한국어》의 특징

▶ **한국어를 처음 배우는 학습자도 쉽게 배울 수 있습니다.**

- 한국어 표준 교육 과정에 맞춰 성취 수준을 낮췄습니다. 핵심 표현을 정확하고 유창하게 사용하는 것이 목표입니다.
- 제시되는 언어 표현을 통제하여 과도한 입력의 부담 없이 주제와 의사소통 기능에 충실할 수 있습니다.
- 알기 쉽게 제시하고 충분히 연습하는 단계를 마련하여 학습한 내용의 이해에 그치지 않고 바로 사용할 수 있습니다.

▶ **학습자의 동기를 이끄는 즐겁고 재미있는 교재입니다.**

- 한국어 학습자가 가장 많이 접하고 흥미로워하는 주제와 의사소통 기능을 다룹니다.
- 한국어 학습자의 특성과 요구를 반영하여 명확한 제시와 다양한 연습 방법을 마련했습니다.
- 한국인의 언어생활, 언어 사용 환경의 변화를 발 빠르게 반영했습니다.
- 친근하고 생동감 있는 삽화와 입체적이고 감각적인 디자인으로 학습의 재미를 더합니다.

▶ **한국어 학습에 최적화된 교수 학습 과정을 구현합니다.**

- 학습자가 자주 접하는 의사소통 과제를 선정했습니다. 과제 수행에 필요한 언어 항목을 학습한 후 과제 활동을 하도록 구성했습니다.
- 언어 항목으로 어휘, 문법과 함께 담화 표현을 새로 추가했습니다. 담화 표현은 고정적이고 정형화된 의사소통 표현을 말합니다. 덩어리로 제시하여 바로 사용하게 했습니다.
- 도입 – 제시 · 설명 – 형태적 연습 활동 – 유의적 연습 활동의 단계로 절차화했습니다.
- 획일적이고 일관된 방식을 탈피하여 언어 항목의 중요도와 난이도에 맞춰 제시하는 절차와 분량에 차이를 두었습니다.
- 발음과 문화 항목은 특정 단원의 의사소통 과제와 긴밀하게 연결되지는 않으나 해당 등급에서 반드시 다루어야 할 항목을 선정하여 단원 후반부에 배치했습니다.

《고려대 한국어》의 구성

▶ **2A와 2B는 각각 5단원으로 한 단원은 10시간 정도가 소요됩니다.**

▶ **한 단원의 구성은 아래와 같습니다.**

▶ **교재의 앞부분에는 '이 책의 특징'과 '단원 구성 표'를 배치했고, 교재의 뒷부분에는 '정답'과 '듣기 지문', '어휘 찾아보기', '문법 찾아보기'를 부록으로 넣었습니다.**

- 부록의 어휘는 단원별 어휘 모음과 모든 어휘를 가나다순으로 정렬한 두 가지 방식으로 제시했습니다.
- 부록의 문법은 문법의 의미와 화용적 특징, 형태 정보를 정리했고 문법의 쓰임을 확인할 수 있는 전형적인 예문을 넣었습니다. 학습자의 모어 번역도 들어가 있습니다.

▶ **모든 듣기는 MP3 파일 형태로 내려받아 들을 수 있습니다.**

《고려대 한국어 2B》의 목표

일상생활에서 자주 접하는 주제인 가족, 여행 등에 대해 이해하고 표현할 수 있습니다. 옷 사기, 축하와 위로하기 등의 기본적인 의사소통 기능을 수행할 수 있습니다. 한국어의 높임말과 반말의 쓰임을 알고 구별하여 말할 수 있습니다.

About the Textbook

KU Korean Language and *KU Fun Korean* adopt a "task-based approach with forms in consideration". The former integrates language items, language skills, and culture while the latter separates language skills into speaking, listening, reading, and writing.

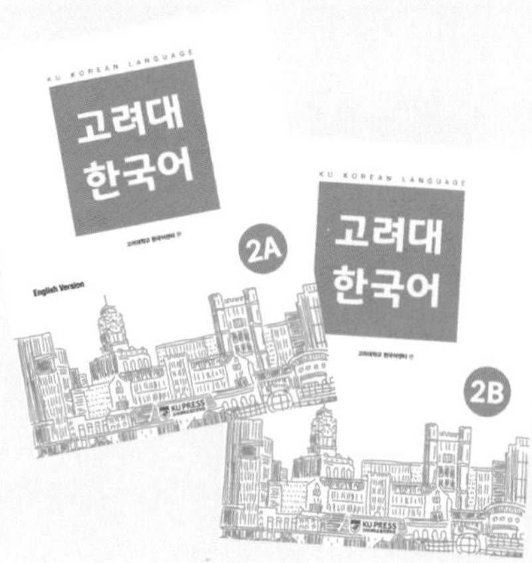

KU Korean Language composed of 2A and 2B offers a 100-hour language course, and *KU Fun Korean* also contains a 100-hour course for speaking, listening, reading, and writing as a whole. Therefore, using the six volumes of the two together makes up a regular 200-hour language program. In the case of 100-hour short language programs or Korean language courses in overseas universities, these volumes can be selectively used according to the purpose of the program or the needs of the learner.

About *KU Korean Language*

▶ **The textbook helps even beginners learn Korean in an easy way.**

- The level of target achievement is moderated in accordance with the International Standard Curriculum of Korean Language. It aims to facilitate accurate and fluent use of key expressions.
- By restricting the range of language expressions for input, more focus can be placed on topics and communicative skills while alleviating pressure put on the learner.
- Learners can readily understand what they learn thanks to easy explanations and also immediately apply their knowledge to practice by completing a sufficient number of exercises.

▶ **The textbook is a fun and interesting textbook that can motivate the learner.**

- It addresses the topics and communication skills that the Korean language learner is highly interested in as they are frequently used in real life.
- By reflecting the needs and goals of the Korean language learner, expressions are clearly presented along with various activities for practice.
- It reflects the fast-changing Korean language lifestyle and environment.
- Familiar and engaging illustrations, as well as stereoscopic and stylish design, add fun to learning Korean.

▶ **The textbook offers a curriculum optimal for Korean language teaching and learning.**

- The communicative tasks included are directly related to the learner's daily life. Each unit is structured for the learner to learn essential language items before performing tasks.
- Vocabulary, grammar, and discourse expressions are newly added to the language items. Discourse expressions are defined as fixed and formulaic expressions, and they are presented as a chunk to ensure that learners can use them right away.
- Each unit consists of the Introduction, Presentation, Form Practice Activity, and Meaningful Practice Activity.
- While avoiding a uniform and rigid structure, the procedures and length of content presented varies in tandem with the importance and difficulty of language items.
- The pronunciation and cultural items that the learner is expected to know, not necessarily linked to the communication tasks in the unit, are selected and arranged at the end of each unit.

The Composition of *KU Korean Language*

▶ **2A and 2B consist of 5 units each, and each unit requires 10 hours.**

▶ **Each unit is structured as follows:**

▶ **About the Textbook, Syllabus are arranged in the beginning of the book, and Correct Answer, and Listening Script, the Vocabulary and Grammar Index are placed in the appendix.**

- The Vocabulary Index in the appendix is listed in two ways: by unit and in Korean alphabetical order.
- Grammar in the appendix outlines meaning, pragmatic features, and information on the forms with sample sentences and grammar usage. They are also included with English translations.

▶ **All audio files can be downloaded as MP3 files.**

Learning Objectives of *KU Korean Language 2B*

Learners can understand and express themselves on topics commonly encountered in everyday life such as family and travel. They can perform basic conversational tasks related to buying clothes and congratulating and consoling someone. They can distinguish the differences between polite and casual registers in Korean and speak appropriately according to the situation.

등장인물이 나오는 장면을 보면서 단원의 주제, 의사소통 기능 등을 확인합니다.

The learner looks at the scene and checks the topic of the unit and conversational skills.

어휘의 도입 Introduction of vocabulary

- 목표 어휘가 사용되는 의사소통 상황입니다.
  It is a conversational situation where the target vocabulary is used.

어휘의 제시 Vocabulary usage

- 어휘 목록입니다. 맥락 속에서 어휘를 배웁니다.
  This is a list of vocabulary. The learner can learn the words in context.
- 그림, 어휘 사용 예문을 보며 어휘의 의미와 쓰임을 확인합니다.
  The learner looks at the images and sample sentences and checks the meaning and usage of vocabulary in context.

7

여행

Travel

생각해 봐요 Let's think 071

1 다니엘 씨는 어디에 갔다 왔어요?
Where did Daniel travel to?

2 여러분은 한국에서 어디에 가 봤어요?
Which places in Korea have you been to?

학습 목표 Learning Objectives

여행 경험에 대해 묻고 답할 수 있다.
You can ask and answer questions about your travel experiences.

- 여행지
- -아/어/여 보다, -(으)ㄴ, -네요
- 여행 경험 묻고 답하기

단원의 제목 Title of the unit

생각해 봐요 Let's think

- 등장인물이 나누는 간단한 대화를 듣고 단원의 주제와 의사소통 목표를 생각해 봅니다.
  The learner listens to a short conversation and thinks about the topic and communication objectives of the unit.

학습 목표 Learning objectives

- 단원을 학습한 후에 수행할 수 있는 의사소통 목표입니다.
  They are the communicative objectives students are expected to achieve after completing the unit.

1) 가 요즘에도 과 동기들하고 자주 만나요?
나 아니요. 바빠서 연락도 못 하고 있어요.
연락하다 contact

2) 가 이 식당에 처음 왔어요?
나 아니요. 사장님하고 몇 번 와 봤어요.

• '선배, 선배님, 사장님'은 사람을 부를 때도 사용해요.
선배, 선배님, 사장님 is used when calling someone.

1 다음과 같이 이야기해 봐요.
Practice with your partner as shown below.

직장 상사
가 이 사람은 누구예요?
나 직장 상사예요.

① 과 동기 ② 후배 ③ 회사 동료 ④ 반 친구

2 여러분의 휴대폰에는 누구 사진이 있어요? 친구들한테 소개해 봐요.
Whose pictures do you have in your cellular phone? Describe them to your partners.

3

그동안 잘 지냈어?

네, 덕분에 잘 지냈어요.

96 고려대 한국어 2B

랭기지 팁 Language Tip

- 알아 두면 유용한 표현입니다.
  It offers useful expressions.

어휘의 연습 1 Vocabulary practice 1

- 배운 어휘를 사용해 볼 수 있는 말하기 연습입니다.
  It is a speaking activity for learners to use the words they have learned.
- 연습의 방식은 그림, 사진, 문장 등으로 다양합니다.
  Various methods such as photos, pictures, or sentences are used for practice.

어휘의 연습 2 Vocabulary practice 2

- 유의미한 의사소통 상황에서 배운 어휘를 사용하는 말하기 연습입니다.
  It is a speaking activity for learners to practice the words they have learned in a meaningful communicative context.

이 책의 특징 About the Textbook

문법의 도입 Introduction of grammar

- 목표 문법이 사용되는 의사소통 상황입니다.
  It is a communicative situation where the target grammar is used.

문법의 제시 Grammar usage

- 목표 문법의 의미와 쓰임을 여러 예문을 통해 확인합니다.
  Various sample sentences show the meaning and usage of the target grammar.
- 목표 문법을 사용하기 위해 알아야 하는 기본 정보입니다.
  It provides basic information for the learner to use the target grammar.

새 단어 New words

- 어휘장으로 묶이지 않은 개별 단어입니다.
  They are individual words, not included in the list of vocabulary.
- 문맥을 통해 새 단어의 의미를 확인합니다.
  The meaning of the new words can be checked in context.

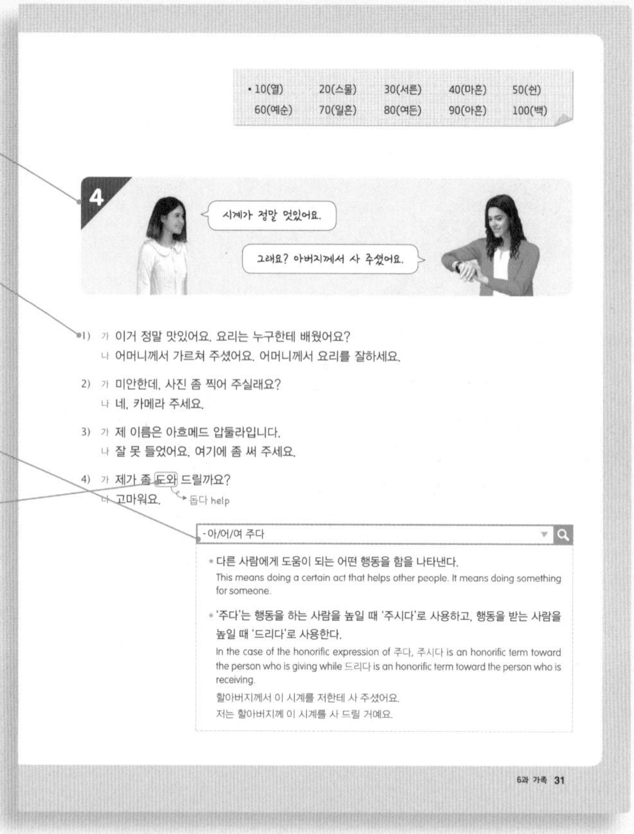

• 10(열) 20(스물) 30(서른) 40(마흔) 50(쉰)
60(예순) 70(일흔) 80(여든) 90(아흔) 100(백)

4

1) 가 이거 정말 맛있어요. 요리는 누구한테 배웠어요?
나 어머니께서 가르쳐 주셨어요. 어머니께서 요리를 잘하세요.

2) 가 미안한데, 사진 좀 찍어 주실래요?
나 네, 카메라 주세요.

3) 가 제 이름은 아흐메드 압둘라입니다.
나 잘 못 들었어요. 여기에 좀 써 주세요.

4) 가 제가 좀 도와 드릴까요?
나 고마워요.
돕다 help

-아/어/여 주다

- 다른 사람에게 도움이 되는 어떤 행동을 함을 나타낸다.
  This means doing a certain act that helps other people. It means doing something for someone.
- '주다'는 행동을 하는 사람을 높일 때 '주시다'로 사용하고, 행동을 받는 사람을 높일 때 '드리다'로 사용한다.
  In the case of the honorific expression of 주다, 주시다 is an honorific term toward the person who is giving while 드리다 is an honorific term toward the person who is receiving.
  할아버지께서 이 시계를 저한테 사 주셨어요.
  저는 할아버지께 이 시계를 사 드릴 거예요.

6과 가족 31

담화 표현의 제시
Usage of discourse expressions

- 고정적이고 정형화된 의사소통 표현입니다.
  They are defined as fixed and formulaic communicative expressions.

담화 표현 연습
Practice of discourse expressions

- 담화 표현을 덩어리째 익혀 대화하는 말하기 연습입니다.
  The learner learns chunks of discourse expressions and practices them through conversation.

3

1 사진을 보고 친구하고 이야기해 봐요.
Look at the pictures and practice with your partner.

① ② ③ ④ ⑤ ⑥

8과 옷 사기 155

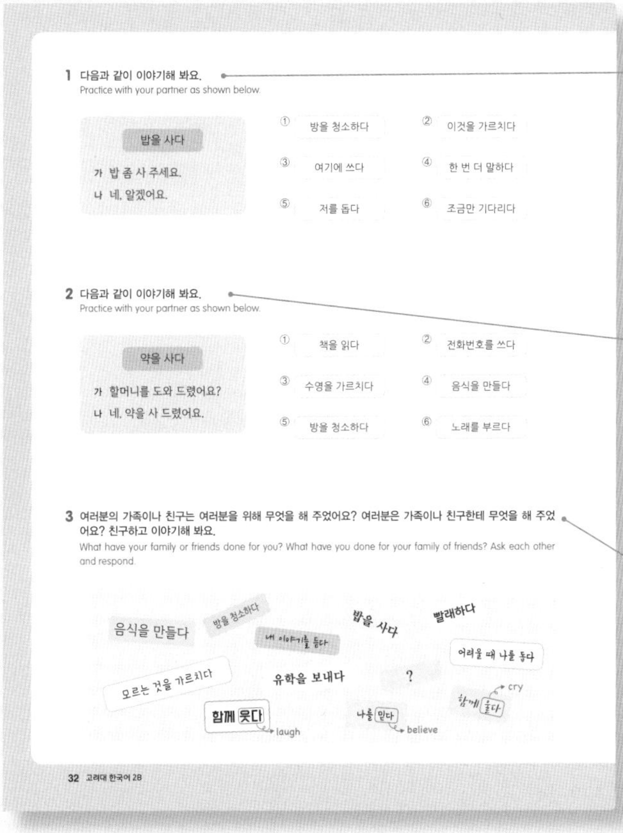

1 다음과 같이 이야기해 봐요.
Practice with your partner as shown below.

밥을 사다
가 밥 좀 사 주세요.
나 네, 알겠어요.

① 방을 청소하다 ② 이것을 가르치다
③ 여기에 쓰다 ④ 한 번 더 말하다
⑤ 저를 돕다 ⑥ 조금만 기다리다

2 다음과 같이 이야기해 봐요.
Practice with your partner as shown below.

약을 사다
가 할머니를 도와 드렸어요?
나 네, 약을 사 드렸어요.

① 책을 읽다 ② 전화번호를 쓰다
③ 수영을 가르치다 ④ 음식을 만들다
⑤ 방을 청소하다 ⑥ 노래를 부르다

3 여러분의 가족이나 친구는 여러분을 위해 무엇을 해 주었어요? 여러분은 가족이나 친구한테 무엇을 해 주었어요? 친구하고 이야기해 봐요.
What have your family or friends done for you? What have you done for your family or friends? Ask each other and respond.

32 고려대 한국어 2B

문법의 연습 1 Grammar practice 1

- 배운 문법을 사용해 볼 수 있는 말하기 연습입니다.
  It is a speaking activity for learners to use the grammar they have learned.
- 연습의 방식은 그림, 사진, 문장 등으로 다양합니다.
  Various methods such as photos, pictures, or sentences are used for practice.

문법의 연습 2 Grammar practice 2

- 문법의 중요도와 난이도에 따라 연습 활동의 수와 분량에 차이가 있습니다.
  The number and length of practice exercises and activities differs according to the importance and difficulty of the grammar.

문법의 연습 3 Grammar practice 3

- 유의미한 의사소통 상황에서 배운 문법을 사용하는 말하기 연습입니다.
  It is a speaking activity for learners to practice the grammar they have learned in a meaningful communicative context.

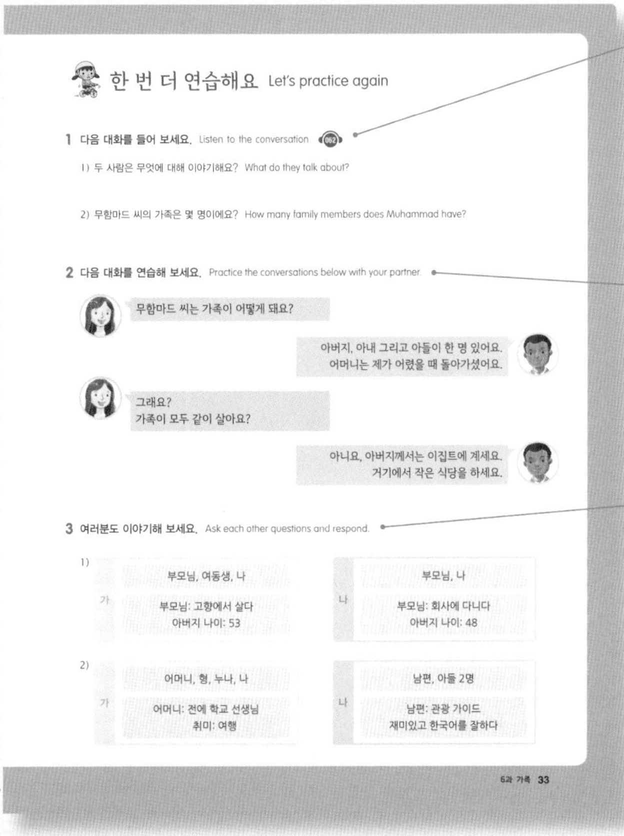

한 번 더 연습해요 Let's practice again

1 다음 대화를 들어 보세요. Listen to the conversation

1) 두 사람은 무엇에 대해 이야기해요? What do they talk about?

2) 무함마드 씨의 가족은 몇 명이에요? How many family members does Muhammad have?

2 다음 대화를 연습해 보세요. Practice the conversations below with your partner.

무함마드 씨는 가족이 어떻게 돼요?

아버지, 아내 그리고 아들이 한 명 있어요. 어머니는 제가 어렸을 때 돌아가셨어요.

그래요? 가족이 모두 같이 살아요?

아니요, 아버지께서는 이집트에 계세요. 거기에서 작은 식당을 하세요.

3 여러분도 이야기해 보세요. Ask each other questions and respond.

1) 가: 부모님, 여동생, 나 / 부모님: 고향에서 살다 / 아버지 나이: 53
나: 부모님, 나 / 부모님: 회사에 다니다 / 아버지 나이: 48

2) 가: 어머니, 형, 누나, 나 / 어머니: 전에 학교 선생님 / 취미: 여행
나: 남편, 아들 2명 / 남편: 관광 가이드 / 재미있고 한국어를 잘하다

6과 가족 33

대화 듣기 Listening to a conversation

- 의사소통 목표가 되는 자연스럽고 유의미한 대화를 듣고 대화의 목적, 대화의 내용을 파악합니다.
  The learner listens to a natural and meaningful conversation, which is the communicative target of the unit, and identifies the purpose and content of the conversation.

대화 연습 Conversation practice

- 대화 연습을 통해 대화의 구성 방식을 익힙니다.
  The learner learns how to participate in a conversation by engaging in conversational practice.

대화 구성 연습 Practice to organize conversation

- 학습자 스스로 대화를 구성하여 말해 보는 연습입니다.
  It is an exercise for learners to organize a conversation by themselves and speak.
- 어휘만 교체하는 단순 반복 연습이 되지 않도록 구성했습니다.
  It is structured not to make the exercise a simple drill that only requires replacing words.

이 책의 특징 About the Textbook

듣기 활동 Listening activity

- 단원의 주제와 기능이 구현된 의사소통 듣기 활동입니다.
  It is a listening activity that includes the topic and skills of each unit.
- 중심 내용 파악과 세부 내용 파악 등 목적에 따라 두세 번 반복하여 듣습니다.
  The learner listens to the conversation for a couple of times based on the purpose, whether it is to understand the overall conversation or to capture detailed information.

읽기 활동 Reading activity

- 단원의 주제와 기능이 구현된 의사소통 읽기 활동입니다.
  It is a reading activity that includes the topic and skills of each unit.
- 중심 내용 파악과 세부 내용 파악 등 목적에 따라 두세 번 반복하여 읽습니다.
  The learner reads the passage for a couple of times based on the purpose, whether it is to understand the overall content or to capture detailed information.

쓰기 활동 Writing activity

- 단원의 주제와 기능이 구현된 의사소통 쓰기 활동입니다.
  It is a writing activity that includes the topic and skills of each unit.
- 쓰기 전에 써야 할 내용이나 방식에 대해 생각해 본 후 쓰기를 합니다.
  The learner writes his or her own passage after outlining the content or thinking about the style to use.

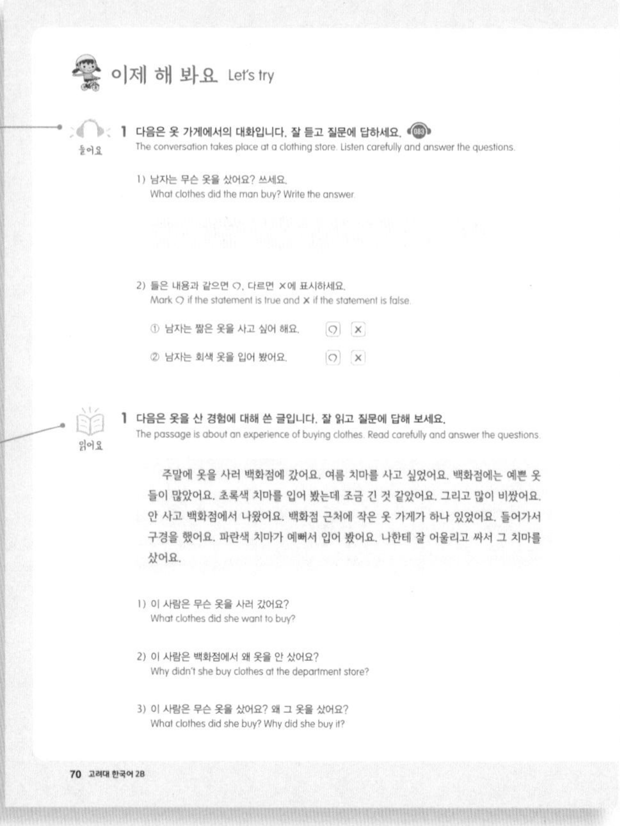

이제 해 봐요 Let's try

들어요

1 다음은 옷 가게에서의 대화입니다. 잘 듣고 질문에 답하세요. 083
The conversation takes place at a clothing store. Listen carefully and answer the questions.

1) 남자는 무슨 옷을 샀어요? 쓰세요.
What clothes did the man buy? Write the answer

2) 들은 내용과 같으면 ○, 다르면 ×에 표시하세요.
Mark ○ if the statement is true and × if the statement is false.

① 남자는 짧은 옷을 사고 싶어 해요. ○ ×

② 남자는 회색 옷을 입어 봤어요. ○ ×

읽어요

1 다음은 옷을 산 경험에 대해 쓴 글입니다. 잘 읽고 질문에 답해 보세요.
The passage is about an experience of buying clothes. Read carefully and answer the questions.

주말에 옷을 사러 백화점에 갔어요. 여름 치마를 사고 싶었어요. 백화점에는 예쁜 옷들이 많았어요. 초록색 치마를 입어 봤는데 조금 긴 것 같았어요. 그리고 많이 비쌌어요. 안 사고 백화점에서 나왔어요. 백화점 근처에 작은 옷 가게가 하나 있었어요. 들어가서 구경을 했어요. 파란색 치마가 예뻐서 입어 봤어요. 나한테 잘 어울리고 싸서 그 치마를 샀어요.

1) 이 사람은 무슨 옷을 사러 갔어요?
What clothes did she want to buy?

2) 이 사람은 백화점에서 왜 옷을 안 샀어요?
Why didn't she buy clothes at the department store?

3) 이 사람은 무슨 옷을 샀어요? 왜 그 옷을 샀어요?
What clothes did she buy? Why did she buy it?

70 고려대 한국어 2B

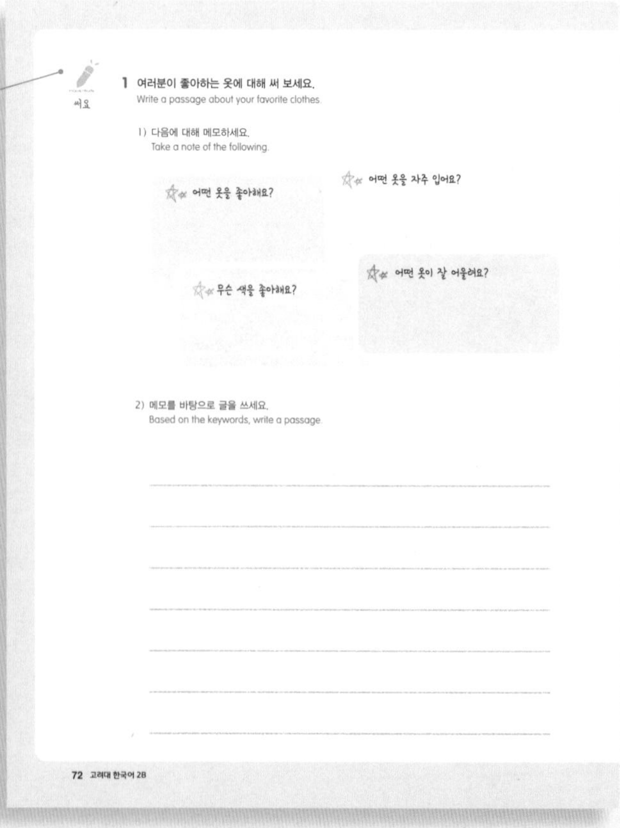

써요

1 여러분이 좋아하는 옷에 대해 써 보세요.
Write a passage about your favorite clothes.

1) 다음에 대해 메모하세요.
Take a note of the following.

어떤 옷을 좋아해요?

어떤 옷을 자주 입어요?

무슨 색을 좋아해요?

어떤 옷이 잘 어울려요?

2) 메모를 바탕으로 글을 쓰세요.
Based on the keywords, write a passage.

72 고려대 한국어 2B

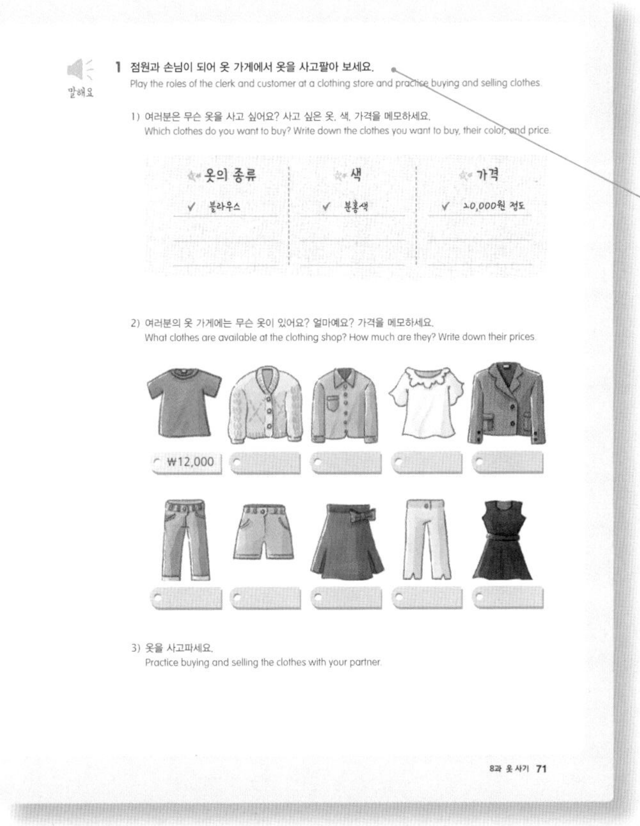
1 점원과 손님이 되어 옷 가게에서 옷을 사고팔아 보세요.
Play the roles of the clerk and customer at a clothing store and practice buying and selling clothes.

1) 여러분은 무슨 옷을 사고 싶어요? 사고 싶은 옷, 색, 가격을 메모하세요.
Which clothes do you want to buy? Write down the clothes you want to buy, their color, and price.

옷의 종류	색	가격
✓ 블라우스	✓ 분홍색	✓ 20,000원 정도

2) 여러분의 옷 가게에는 무슨 옷이 있어요? 얼마예요? 가격을 메모하세요.
What clothes are available at the clothing shop? How much are they? Write down their prices.

₩12,000

3) 옷을 사고파세요.
Practice buying and selling the clothes with your partner.

8과 옷 사기 71

말하기 활동 Speaking activity

- 단원의 주제와 기능이 구현된 의사소통 말하기 활동입니다.
  It is a speaking activity that includes the topic and skills of each unit.
- 말하기 전에 말할 내용이나 방식에 대해 생각해 본 후 말하기를 합니다.
  The learners speak after thinking about what and how to express themselves in their speech.

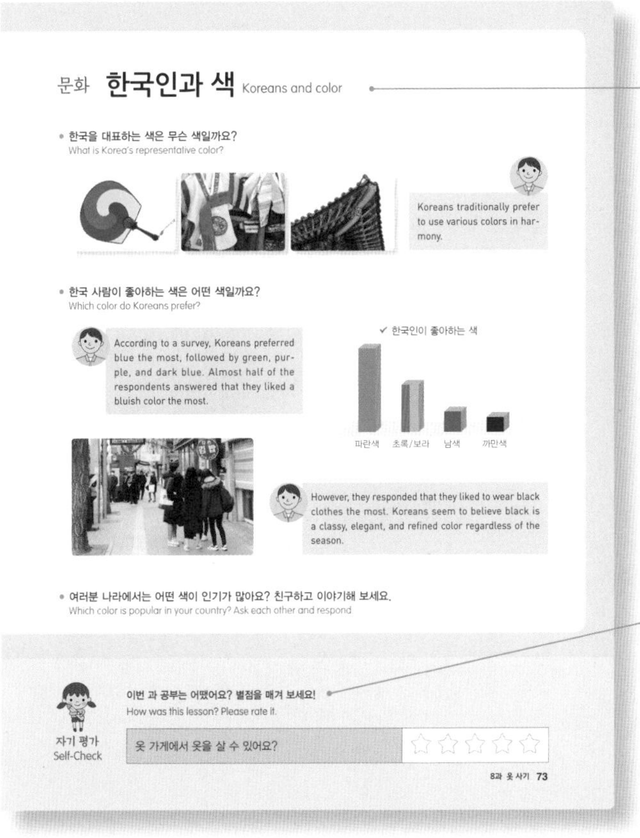
문화 한국인과 색 Koreans and color

- 한국을 대표하는 색은 무슨 색일까요?
What is Korea's representative color?

Koreans traditionally prefer to use various colors in harmony.

- 한국 사람이 좋아하는 색은 어떤 색일까요?
Which color do Koreans prefer?

According to a survey, Koreans preferred blue the most, followed by green, purple, and dark blue. Almost half of the respondents answered that they liked a bluish color the most.

✓ 한국인이 좋아하는 색

However, they responded that they liked to wear black clothes the most. Koreans seem to believe black is a classy, elegant, and refined color regardless of the season.

- 여러분 나라에서는 어떤 색이 인기가 많아요? 친구하고 이야기해 보세요.
Which color is popular in your country? Ask each other and respond.

자기 평가 Self-Check
이번 과 공부는 어땠어요? 별점을 매겨 보세요!
How was this lesson? Please rate it.
옷 가게에서 옷을 살 수 있어요? ☆☆☆☆☆

8과 옷 사기 73

발음 활동/문화 활동
Pronunciation exercise/cultural activity

- 초급에서 필수적으로 알아야 할 발음/문화 항목을 소개합니다. 간단한 설명 후 실제 활동을 해 봅니다.
  It introduces the pronunciation and cultural items that Korean language beginners need to know. After a brief explanation, they engage in actual exercises or activities.
- 단원마다 발음 또는 문화 항목이 제시됩니다.
  Pronunciation and cultural items are presented alternately in each unit.

자기 평가 Self-check

- 단원 앞부분에 제시되었던 학습 목표 달성 여부를 학습자 스스로 점검합니다.
  Learners evaluate to what extent they have achieved the learning objectives presented in the beginning of the unit.

단원 구성 표

단원	단원 제목	학습 목표	의사소통 활동
6과	가족	가족에 대해 묻고 답할 수 있다.	• 가족을 소개하는 대화 듣기 • 가족 소개 글 읽기 • 가족 소개하기 • 가족을 소개하는 글 쓰기
7과	여행	여행 경험에 대해 묻고 답할 수 있다.	• 여행에 대한 대화 듣기 • 여행 경험 소개하기 • 여행 경험에 대한 글 읽기 • 여행 경험에 대한 글 쓰기
8과	옷 사기	옷 가게에서 옷을 살 수 있다.	• 옷 가게에서의 대화 듣기 • 옷을 산 경험에 대한 글 읽기 • 옷 가게에서 대화하기 • 좋아하는 옷에 대한 글 쓰기
9과	축하와 위로	축하와 위로를 할 수 있다.	• 위로하는 대화 듣기 • 축하 받은 일에 대한 글 읽기 • 축하나 위로할 일에 대해 묻고 답하기 • 축하나 위로 받은 경험 쓰기
10과	안부	오래간만에 만난 친구하고 안부를 묻고 답할 수 있다.	• 안부를 묻는 대화 듣기 • 안부를 묻고 답하기 • 친구하고 주고받은 문자 메시지 읽기 • 친구한테 문자 메시지 보내기

	어휘 · 문법 · 담화 표현		발음 / 문화
• 가족 • 경어	• 높임말 • -아/어/여 주다/드리다 • 께서, 께서는, 께	• 가족 구성원 묻고 답하기	어른 앞에서는
• 여행지	• -아/어/여 보다 • -(으)ㄴ • -네요 • -(으)ㄹ까요?	• 여행 경험 묻고 답하기	비음화
• 옷 • 색	• -는/(으)ㄴ 것 같다 • -(으)ㄹ게요 • (으)로 2	• 옷 사기	한국인과 색
• 기분 · 감정 • 축하하는 일 • 위로하는 일	• -는데/(으)ㄴ데 • -(으)ㄹ 것이다	• 축하하기 • 위로하기	소리 내어 읽기 2
• 근황 • 관계	• 반말(-아/어/여) • 반말(-야) • -(으)ㄹ	• 안부 묻고 답하기	지칭어 · 호칭어

Table of Lessons

Unit	Unit name	Learning Objectives	Communicative activity
Unit 6	**Family**	You can ask and answer questions about your family.	• Listening to a conversation introducing a family • Reading a passage introducing a family • Introducing one's own family • Writing a passage introducing one's own family
Unit 7	**Travel**	You can ask and answer questions about your travel experiences.	• Listening to a conversation about a travel experience • Introducing a travel experience • Reading a passage about a travel experience • Writing a passage about a travel experience
Unit 8	**Clothes Shopping**	You can buy clothes at clothing stores.	• Listening to a conversation at a clothing store • Reading a passage about an experience buying clothes • Asking and answering questions about buying clothes • Writing a passage about favorite clothes
Unit 9	**Congratulations & Consolation**	You can congratulate and console each other.	• Listening to a conversation about consoling someone • Reading about an experience receiving congratulations • Talking about congratulations of consolation • Writing a passage about congratulations or consolation
Unit 10	**Saying Hello**	You can ask and respond to questions about catching up with friends who they have not seen for a while.	• Listening to a conversation about saying hello • Talking about how one is getting along • Reading a text message exchanged between friends • Sending a text message to a friend

	Vocabulary · Grammar · Discourse expressions			Pronunciation / Culture
	• family • honorific words	• Honorofic forms • -아/어/여 주다/드리다 • 께서, 께서는, 께	• Asking and answering about family members	When you meet an old-er person
	• travel destination	• -아/어/여 보다 • -(으)ㄴ • -네요 • -(으)ㄹ까요?	• Asking and answering about a trabvel experience	Nasalization
	• clothes • color	• -는/(으)ㄴ 것 같다 • -(으)ㄹ게요 • (으)로 2	• Buying clothes	Koreans and color
	• feelings·emotions • things to congratu-late someone for • things to console someone for	• -는데/(으)ㄴ데 • -(으)ㄹ 것이다	• Congratulating • Consoling	Read aloud 2
	• catching up • relationship	• Informal speech(-아/어/여) • Informal speech(-야) • -(으)ㄹ	• Asking and answering how one is getting along	Reference & address terms

차례 Contents

부록

등장인물 Characters

왕웨이

나라 중국
나이 19세
직업 학생
(고려대학교 한국어센터)
취미 피아노

응우옌 티 두엔

나라 베트남
나이 19세
직업 학생
(고려대학교 한국어센터)
취미 드라마

무함마드 알 감디

나라 이집트
나이 32세
직업 요리사/학생
취미 태권도

김지아

나라 한국
나이 22세
직업 학생
(고려대학교 경제학과)
취미 영화

미아 왓슨

나라 영국
나이 21세
직업 학생
(고려대학교 교환 학생)
취미 노래(K-POP)

카밀라 멘데즈

나라 칠레
나이 23세
직업 학생
(고려대학교 한국어센터)
취미 SNS

다니엘 클라인

나라 독일
나이 29세
직업 회사원/학생
취미 여행

모리야마 나쓰미

나라 일본
나이 35세
직업 학생/약사
취미 그림

서하준

나라 한국
나이 22세
직업 학생
(고려대학교 국어국문학과)
취미 농구

정세진

나라 한국
나이 33세
직업 한국어 선생님
취미 요가

강용재

나라 한국
나이 31세
직업 회사원
취미 자전거, 스키

6

가족

Family

생각해 봐요 Let's think 061

1 두엔 씨는 어제 누구하고 전화를 했어요?
With whom did Duen talk to on the phone yesterday?

2 여러분은 한국어로 가족에 대해 이야기할 수 있어요?
Can you introduce your family in Korean?

학습 목표 Learning Objectives

가족에 대해 묻고 답할 수 있다.

You can ask and answer questions about your family.

- 가족, 경어
- 높임말, -아/어/여 주다/드리다
- 가족 구성원 묻고 답하기

배워요 Let's learn

- 다음 표현 중 아는 것에 모두 ◯해 보세요. 그리고 여러분의 가족은 누가 있는지 친구하고 이야기해 봐요.
  Mark O for the expressions you know. Ask each other questions about their family and respond.

아버지	어머니	부모님	형	누나
오빠	언니	남/여동생	남편	아내
딸	아들	할아버지	할머니	삼촌
고모	이모	사촌	조카	친척

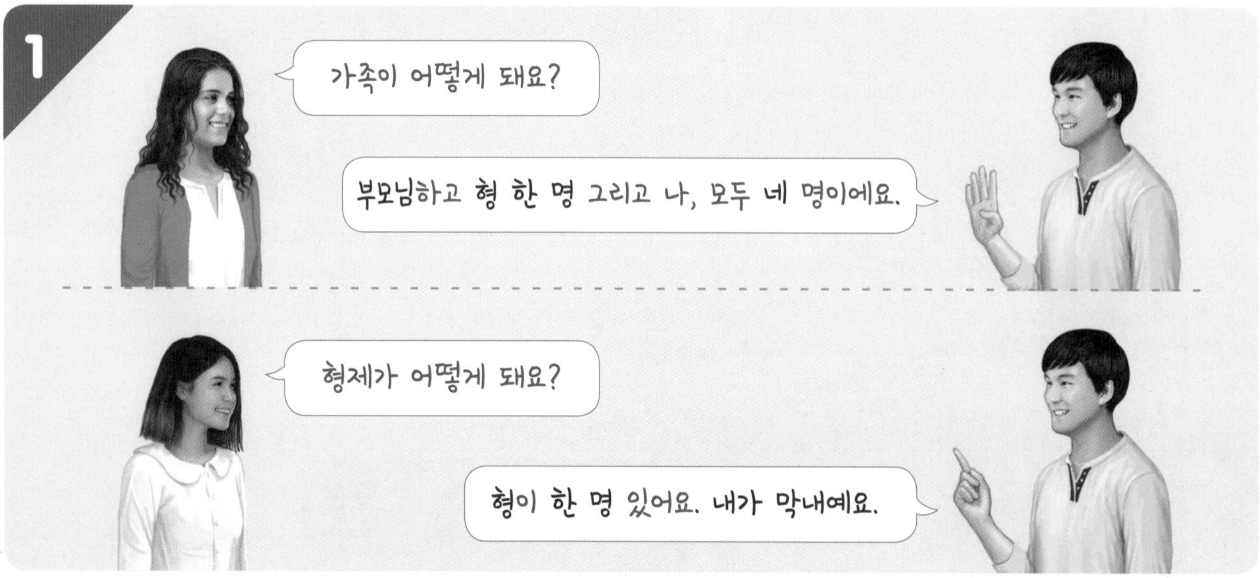

형제 siblings

첫째	둘째	셋째	……	막내
혼자	쌍둥이			

1) 가 형제가 어떻게 돼요?
나 누나하고 남동생이 있어요. 내가 둘째예요.

2) 가 형제가 어떻게 돼요?
나 나 혼자예요.

1 다음과 같이 이야기해 봐요.
Practice with your partner as shown below.

남동생 1명, 첫째

가 형제가 어떻게 돼요?
나 남동생이 하나 있어요. 내가 첫째예요.

① 형 1명, 둘째
② 누나 2명, 막내
③ 형 1명, 여동생 1명, 둘째
④ 오빠, 남동생, 둘째
⑤ 쌍둥이 언니 1명
⑥ 혼자

2 이 사람은 가족이 어떻게 돼요? 친구하고 이야기해 봐요.
Look at the pictures below. How many family members does the person have? Ask each other and respond.

①

②

③

④

3 여러분은 가족이 어떻게 돼요? 그리고 형제가 어떻게 돼요? 친구하고 이야기해 봐요.
How many family members do you have? How many siblings do you have? Ask each other and respond.

2

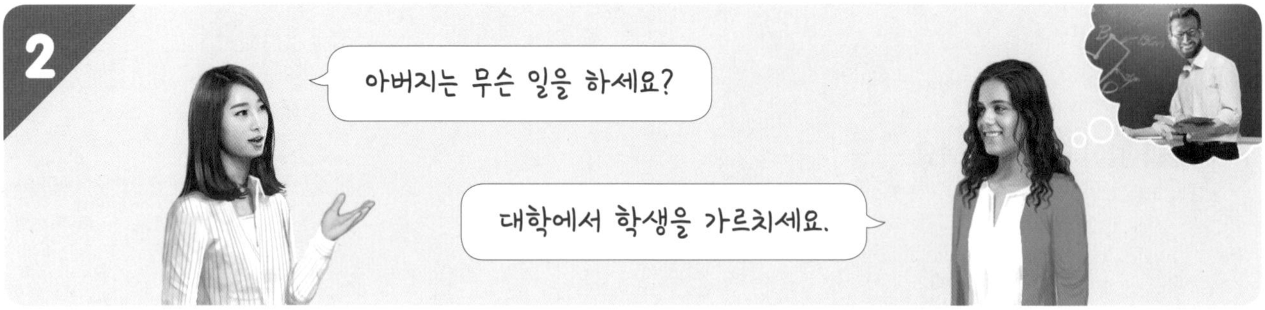

1) 가 리나 씨는 키가 커요. 어머니도 키가 크세요?
   나 아니요. 저희(my) 어머니는 작으세요.

2) 가 선생님, 오전에 보통 뭐 하세요?
   나 수업이 없으면 신문(newspaper)을 읽어요.

3) 가 사진 속의 이 사람은 누구예요?
   나 우리 할아버지세요.

4) 가 어머니는 전에 무슨 일을 하셨어요?
   나 은행에 다니셨어요.

5) 가 여행은 재미있으셨어요?
   나 네, 정말 좋았어요.

6) 가 사장님(president), 언제 오실 거예요?
   나 아직(yet) 잘 모르겠어요. 먼저 퇴근하세요.

높임말

- 높임말은 문장의 주어가 말하는 사람보다 나이가 많거나 지위가 높을 때 사용한다.
  Honorific forms are used when speaking to someone who is older or in a higher position.
- '-(으)세요'는 주어의 행동이나 상태를 높이는 현재 시제 표현이다.
  -(으)세요 is a present tense ending to show respect toward the subject of the sentence.

1 다음과 같이 이야기해 봐요.
Practice with your partner as shown below.

아버지, 무슨 일을 하다	어머니, 외모가 어떻다
회사에 다니다	키가 좀 작다
가 아버지는 무슨 일을 하세요?	가 어머니는 외모가 어떠세요?
나 회사에 다니세요.	나 키가 좀 작으세요.

① 어머니, 무슨 일을 하다 / 고등학교 선생님이다

② 할아버지, 언제 오다 / 다음 달에 오다

③ 부모님, 어디에서 살다 / 고향에 살다

④ 할머니, 오후에 무엇을 하다 / 공원을 산책하다

⑤ 사장님, 외모가 어떻다 / 멋있다

⑥ 선생님, 건강이 어떻다 / 눈이 좀 안 좋다

⑦ 아버지, 운동을 자주 하다 / 자주 안 하다, 가끔 하다

⑧ 사장님, 요즘 많이 바쁘다 / 괜찮다

2 여러분의 부모님은 무슨 일을 하세요? 외모는 어떠세요? 뭐 하는 것을 좋아하시고, 뭐 하는 것을 싫어하세요? 친구하고 이야기해 봐요.
What do your parents do for a living? What do they look like? What do they like and not like to do? Ask each other and respond.

-(으)셨어요

- '-(으)셨어요'는 주어의 행동이나 상태를 높이는 과거 시제 표현이다.
  -(으)셨어요 is a past tense ending to show respect toward the subject of the sentence.

3 **다음과 같이 이야기해 봐요.** Practice with your partner as shown below.

친구를 만났다

가 아버지는 어제 오후에 뭐 하셨어요?

나 친구를 만나셨어요.

① 신문을 읽었다
② 회사에서 일했다
③ 백화점에 갔다 왔다
④ 어머니하고 영화를 봤다
⑤ 의자를 만들었다
⑥ 공원을 산책했다

4 **여러분의 부모님은 10년 전에 무슨 일을 하셨어요? 어디에서 사셨어요? 친구하고 이야기해 봐요.**
What did your parents do 10 years ago? Where did they live at the time? Ask each other and respond.

-(으)실 거예요

- '-(으)실 거예요'는 주어를 높이는 표현으로 앞으로의 계획이나 예정을 나타낸다.
  -(으)실 거예요 is a future tense ending to show respect toward the subject of the sentence.

5 **다음과 같이 이야기해 봐요.** Practice with your partner as shown below.

출근할 것이다

가 내일 출근하실 거예요?

나 네, 출근할 거예요.

① 신문을 읽을 것이다
② 돈을 줄 것이다
③ 청소할 것이다
④ 친구를 만나러 갈 것이다
⑤ 병원에 갔다 올 것이다
⑥ 꽃을 살 것이다

6 선생님은 내일 무엇을 하실지 선생님한테 물어봐요.
Ask your teacher what he/she will do tomorrow.

3

경어 honorific words

드시다, 잡수시다 [먹다]　　드시다 [마시다]　　주무시다 [자다]

계시다 [있다]　　편찮으시다 [아프다]　　돌아가시다 [죽다]

댁 [집]　　성함 [이름]　　연세 [나이]　　분 [사람]　　말씀 [말]

1) 가 할아버지께서는 댁에 계세요?
   나 아니요, 편찮으셔서 병원에 계세요.

2) 가 선생님, 점심 드셨어요?
   나 아직 못 먹었어요.

3) 가 지아 씨, 아버지 연세가 어떻게 되세요?
   나 마흔여덟이세요.

할아버지께서 말씀하세요.

할머니께서는 예쁘세요.

선생님께 선물을 드려요.

• 문장의 주어를 높이고 싶을 때 조사도 바꿔 쓰면 더 좋아요.
Using honorific particles is better when showing respect to the subject of the sentence.
께서 [이/가]　　께서는 [은/는]　　께 [한테]

1 다음과 같이 이야기해 봐요.
Practice with your partner as shown below.

저녁을 먹다

가 사장님께서는 지금 뭐 하세요?
나 저녁을 드세요.

① 차를 마시다
② 집에 있다
③ 저쪽에서 자다
④ 친구를 만나고 있다
⑤ 아파서 병원에 갔다
⑥ 지난달에 죽었다

2 여러분 부모님, 할아버지, 할머니께서는 연세가 어떻게 되세요? 다음과 같이 친구하고 이야기해 봐요.
How old are your parents and grandparents? Practice with your partner as shown below.

가 하준 씨, 할아버지께서는 연세가 어떻게 되세요?
나 올해 일흔둘이세요.

- 10(열)　20(스물)　30(서른)　40(마흔)　50(쉰)
- 60(예순)　70(일흔)　80(여든)　90(아흔)　100(백)

4

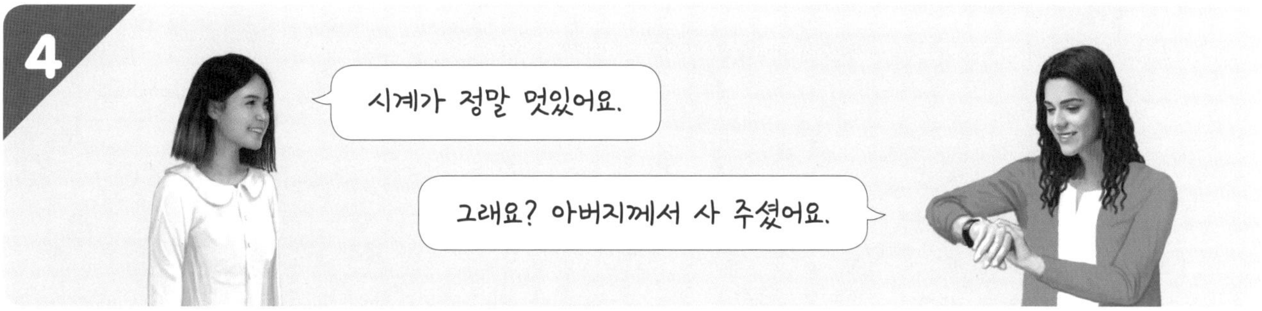

1) 가 이거 정말 맛있어요. 요리는 누구한테 배웠어요?
   나 어머니께서 가르쳐 주셨어요. 어머니께서 요리를 잘하세요.

2) 가 미안한데, 사진 좀 찍어 주실래요?
   나 네, 카메라 주세요.

3) 가 제 이름은 아흐메드 압둘라입니다.
   나 잘 못 들었어요. 여기에 좀 써 주세요.

4) 가 제가 좀 도와 드릴까요?
   나 고마워요.　→ 돕다 help

-아/어/여 주다

- 다른 사람에게 도움이 되는 어떤 행동을 함을 나타낸다.
  This means doing a certain act that helps other people. It means doing something for someone.
- '주다'는 행동을 하는 사람을 높일 때 '주시다'로 사용하고, 행동을 받는 사람을 높일 때 '드리다'로 사용한다.
  In the case of the honorific expression of 주다, 주시다 is an honorific term toward the person who is giving while 드리다 is an honorific term toward the person who is receiving.
  할아버지께서 이 시계를 저한테 사 주셨어요.
  저는 할아버지께 이 시계를 사 드릴 거예요.

1 다음과 같이 이야기해 봐요.

Practice with your partner as shown below.

> 밥을 사다
>
> 가 밥 좀 사 주세요.
>
> 나 네, 알겠어요.

① 방을 청소하다 ② 이것을 가르치다

③ 여기에 쓰다 ④ 한 번 더 말하다

⑤ 저를 돕다 ⑥ 조금만 기다리다

2 다음과 같이 이야기해 봐요.

Practice with your partner as shown below.

> 약을 사다
>
> 가 할머니를 도와 드렸어요?
>
> 나 네, 약을 사 드렸어요.

① 책을 읽다 ② 전화번호를 쓰다

③ 수영을 가르치다 ④ 음식을 만들다

⑤ 방을 청소하다 ⑥ 노래를 부르다

3 여러분의 가족이나 친구는 여러분을 위해 무엇을 해 주었어요? 여러분은 가족이나 친구한테 무엇을 해 주었어요? 친구하고 이야기해 봐요.

What have your family or friends done for you? What have you done for your family of friends? Ask each other and respond.

한 번 더 연습해요 Let's practice again

1 다음 대화를 들어 보세요. Listen to the conversation. 062

1) 두 사람은 무엇에 대해 이야기해요? What do they talk about?

2) 무함마드 씨의 가족은 몇 명이에요? How many family members does Muhammad have?

2 다음 대화를 연습해 보세요. Practice the conversations below with your partner.

무함마드 씨는 가족이 어떻게 돼요?

아버지, 아내 그리고 아들이 한 명 있어요.
어머니는 제가 어렸을 때 돌아가셨어요.

그래요?
가족이 모두 같이 살아요?

아니요, 아버지께서는 이집트에 계세요.
거기에서 작은 식당을 하세요.

3 여러분도 이야기해 보세요. Ask each other questions and respond.

1)

	가	나
	부모님, 여동생, 나	부모님, 나
	부모님: 고향에서 살다 아버지 나이: 53	부모님: 회사에 다니다 아버지 나이: 48

2)

	가	나
	어머니, 형, 누나, 나	남편, 아들 2명
	어머니: 전에 학교 선생님 취미: 여행	남편: 관광 가이드 재미있고 한국어를 잘하다

이제 해 봐요 Let's try

들어요

1 다음은 리나 씨의 가족에 대한 대화입니다. 잘 듣고 질문에 답해 보세요. 063

The conversation is about Lina's family. Listen carefully and answer the questions.

1) 리나 씨 가족으로 맞는 그림을 고르세요.
Choose the correct picture of Lina's family.

① 

② 

③ 

④ 

2) 들은 내용과 같은 것을 고르세요.
Listen to the passage, and choose the correct statement.

① 리나 씨는 첫째예요.

② 리나 씨 할아버지는 돌아가셨어요.

③ 리나 씨 부모님은 지금 도쿄에서 사세요.

읽어요

1 다음은 가족 소개 글입니다 잘 읽고 질문에 답해 보세요.

The passage is about introducing a family. Read carefully and answer the questions.

우리 가족은 다섯 명이에요. 부모님하고 저 그리고 여동생이 두 명 있어요. 제 동생은 쌍둥이예요. 가족들은 모두 고향에서 살고 있어요. 아버지는 회사원이시고, 어머니는 의사세요. 동생들은 중학생이에요. 저는 아버지를 제일 좋아해요. 아버지는 제 이야기를 잘 들어 주시고 언제나 저를 믿어 주세요. 다음 달에는 부모님이 저를 만나러 한국에 오실 거예요. 빨리 부모님을 만나면 좋겠어요.

1) 이 사람의 가족은 어떻게 돼요?
그림을 그리세요.
How many family members does he/she have?
Draw a picture of them.

2) 이 사람은 아버지를 왜 좋아해요? 찾아보세요.
Why does he/she like his/her father?
Find the answer.

3) 읽은 내용과 같으면 ○, 다르면 ×에 표시하세요.
Mark ○ if the statement is true and × if the statement is false.

① 아버지는 지금 일을 하시지만 어머니는 쉬고 계세요. ○ ×

② 이 사람은 다음 달에 가족을 만나러 고향에 갈 거예요. ○ ×

말해요

1 여러분의 가족을 소개해 보세요.
Introduce your family.

1) 누구 누구 있어요? 무슨 일을 해요? 어디에서 살아요? 외모는 어때요? 성격은 어때요? 메모하세요.
Who are your family members? What do they do for a living? Where do they live? How do they look? Describe their personalities. Write them down.

2) 메모한 내용을 바탕으로 친구하고 가족에 대해 이야기하세요.
Based on your notes, ask each other and respond.

써요

1 여러분의 가족을 소개하는 글을 써 보세요.
Write a passage introducing your family.

1) 가족 소개 글을 재미있게 쓰려면 어떤 내용을 어떤 순서로 쓰면 좋을까요? 생각해 보세요.
To write an interesting passage, what should you write about?

2) 생각한 내용을 바탕으로 글을 쓰세요.
Based on your thoughts, write a passage.

문화 어른 앞에서는 When you meet an older person

- 한국은 어른에 대한 예의를 중요하게 생각하는 나라예요. 어른 앞에서 지켜야 할 예의 몇 가지를 알려 드릴게요.
  Korean culture values courtesy, especially showing respect to one's elders. Here are some tips you need to remember when you meet someone who is older than you.

When you say hello or good-bye, bow by bending your upper body forward from the waist.

When you give or receive something from an older person, use both hands.

When you talk with elders, use honorific words to make a good impression.

- 한국에서 어른을 만나면 예의를 지켜 말하세요.
  When you meet older people, abide by these tips to show respect to them.

자기 평가
Self-Check

이번 과 공부는 어땠어요? 별점을 매겨 보세요!
How was this lesson? Please rate it.

가족에 대해 묻고 답할 수 있어요?	☆☆☆☆☆

7

여행

Travel

생각해 봐요 Let's think 071

1. 다니엘 씨는 어디에 갔다 왔어요?
   Where did Daniel travel to?
2. 여러분은 한국에서 어디에 가 봤어요?
   Which places in Korea have you been to?

학습 목표 Learning Objectives

여행 경험에 대해 묻고 답할 수 있다.

You can ask and answer questions about your travel experiences.

- 여행지
- -아/어/여 보다, -(으)ㄴ, -네요
- 여행 경험 묻고 답하기

배워요 Let's learn

1

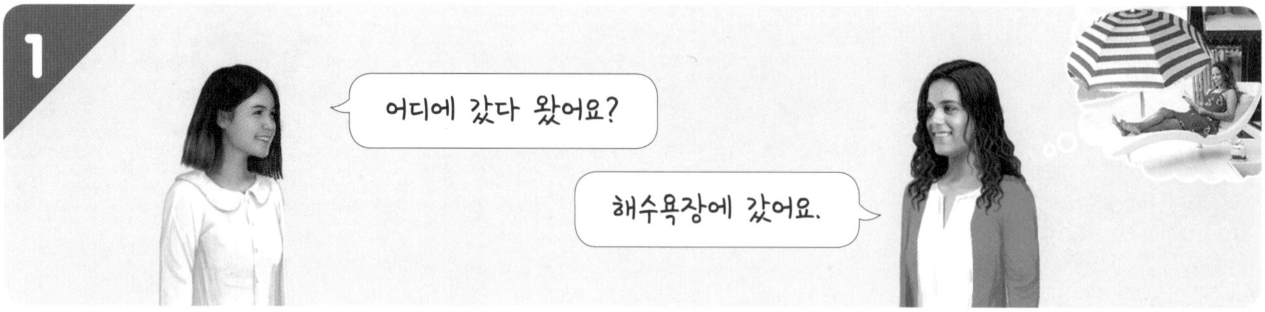

여행지 travel destination

1) 가 지난 연휴에 어디에 갔다 왔어요?
   나 민속촌에 갔다 왔어요.

2) 가 여행 가서 뭐 했어요?
   나 낮에는 해수욕장에서 놀고 밤에는 야경(night view)도 보고 야시장(night market)에도 갔어요.

1 다음과 같이 이야기해 봐요.
Practice with your partner as shown below.

① 

② 

③ 

가 다음에는 어디에 갈까요?
나 다음에는 산에 가고 싶어요.

- 함께하고 싶은 것을 제안할 때는 '-(으)ㄹ까요?'를 사용해요.
  -(으)ㄹ까요? is used to suggest doing something together.
  가 오늘 점심에는 짜장면을 먹을까요?
  나 네, 좋아요.

④ 

⑤ 

⑥ 

2 여러분은 어디에 갔어요? 어디에 가고 싶어요? 친구하고 이야기해 봐요.
Where have you been? Where do you want to visit? Ask each other and respond.

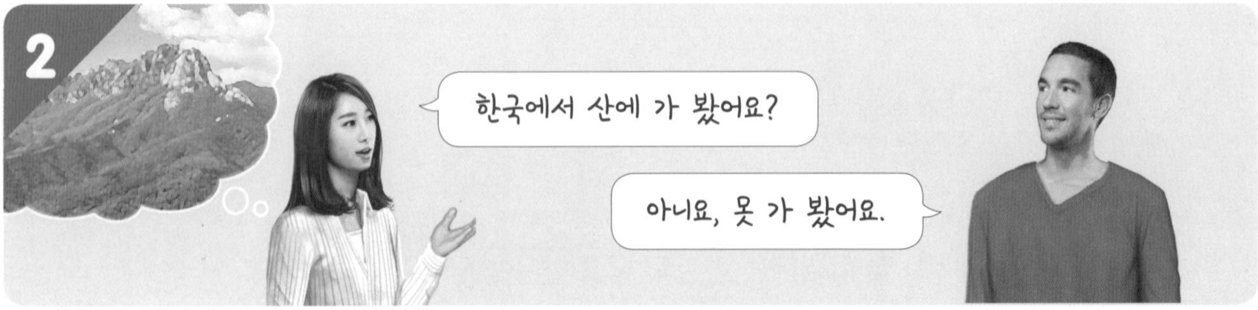

1) 가 부산에 여행 가서 뭐 먹었어요?

나 회를 처음 먹어 봤어요.

(회 → raw fish)

2) 가 여행 가서 무엇을 해 보고 싶어요?

나 배를 타 보고 싶어요.

(배 → ship)

3) 가 어제 집에서 김밥을 만들어 봤어요.

나 그래요? 맛있었어요?

4) 가 뭐 듣고 있어요?

나 제가 좋아하는 가수의 노래요. 한번 들어 볼래요?

-아/어/여 보다

- 어떤 행동을 경험하거나 시도함을 나타낸다.
  It means the experience of doing something.

1 다음과 같이 이야기해 봐요.

Practice with your partner as shown below.

제주도, 바닷가	O

가 제주도에서 바닷가에 가 봤어요?

나 네, 가 봤어요.

제주도, 바닷가	X

가 제주도에서 바닷가에 가 봤어요?

나 아니요, 못 가 봤어요.

①	부산, 쇼핑몰	O
②	한강, 배	X
③	제주도, 꽃구경	X
④	동대문, 쇼핑	O
⑤	야시장, 음식	O
⑥	해수욕장, 수영	X
⑦	일본, 온천	X
⑧	태국, 사원	O

2 **다음과 같이 이야기해 봐요.**
Practice with your partner as shown below.

미술관에 가다	가 여행 가서 무엇을 해 보고 싶어요? 나 미술관에 가 보고 싶어요.

① 온천에 가다
② 춤을 배우다
③ 한복을 입다 (한복 → traditional korean clothes)
④ 비빔밥을 먹다
⑤ 야시장을 구경하다
⑥ 호수에서 수영을 하다
⑦ 폭포를 구경하다
⑧ 섬에 가다
⑨ 바다에서 수영하다
⑩ 민속촌을 구경하다

3 **여러분은 어디를 여행해 봤어요? 거기에서 무엇을 해 봤어요? 친구하고 이야기해 봐요.**
Where have you traveled to? What did you do there? Ask each other and respond.

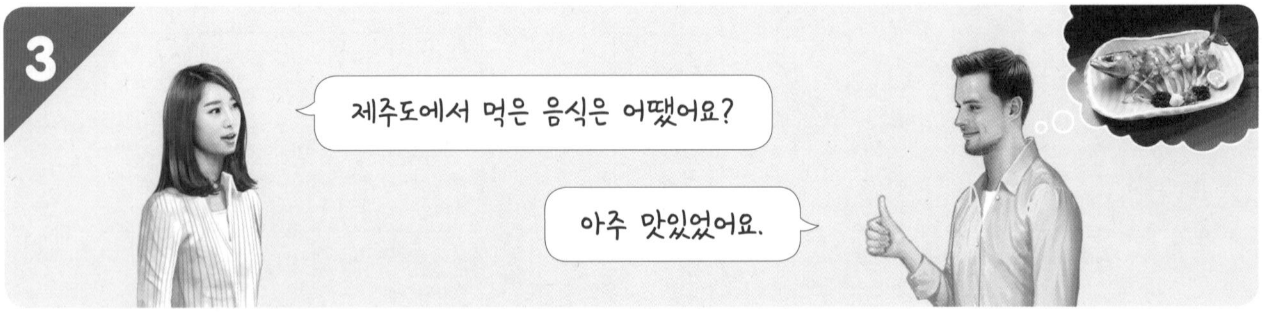

1) 가 이거 제가 부산에서 산 선물이에요.
나 정말 고마워요.

2) 가 한국에서 여행을 많이 해 봤어요?
나 아니요, 가 본 곳이 별로 없어요.

3) 가 가방 샀어요? 정말 예뻐요.
나 아, 이거 제가 만든 거예요.

4) 가 이 사진 누가 찍은 거예요?
나 선생님께서 찍어 주신 거예요.

-(으)ㄴ

- 동사에 붙어 뒤에 오는 명사를 수식한다. 그 동작이 과거에 일어났음을 나타낸다.
It is added to the stem of a verb to make past tense and modify the following noun.

1 다음과 같이 이야기해 봐요.
Practice with your partner as shown below.

사진, 찍었다

가 사진을 많이 찍었어요?
나 네, 찍은 사진이 정말 많아요.

① 사람, 만났다

② 음식, 먹었다

③ 책, 읽었다

④ 음악, 들었다

⑤ 옷, 샀다

⑥ 영화, 봤다

⑦ 음식, 만들었다

⑧ 외국어, 배웠다

2 다음과 같이 이야기해 봐요.
Practice with your partner as shown below.

가 여행 가서 만난 관광 가이드가 정말 멋있었어요.
나 여행 가서 먹은 음식이 다 맛있었어요.
다 이건 여행 가서 만든 컵이에요.
라 ⋮

여행 가서 + 먹다 / 만들다 / 찍다 / 사다 / 만나다 / 타다 / 보다 / 가 보다 / ?? + 음식…… / 사람…… / 곳…… / 것……

3 여러분은 여행 가서 무엇을 했어요? 그것이 어땠어요? 친구하고 이야기해 봐요.
What did you do on your trip? How was it? Ask each other and respond.

4

1) 가 여기는 어디예요? 경치(scenery)가 정말 좋네요.
나 우리 고향에 있는 호수예요.

2) 가 이건 여행 가서 먹은 음식들 사진이에요.
나 이걸 다 먹었어요? 정말 많이 먹었네요.

3) 가 여기는 나무가 많아서 정말 아름답지요(아름답다 beautiful)?
나 네, 단풍이 들면 더 예쁘겠네요.

4) 가 방학에 경주에 갔다 왔어요.
나 경주요? 정말 좋았겠네요.

-네요

- 말하는 사람이 새롭게 안 사실임을 나타낸다. 보통 감탄의 의미로 사용한다.
It means the speaker did not know the information. It usually indicates a spontaneous reaction or realization from the speaker.

1 다음과 같이 이야기해 봐요.
Practice with your partner as shown below.

경치가 좋다

가 이건 섬에서 찍은 사진이에요.
나 경치가 좋네요.

① 
야경이 예쁘다

② 
정말 크다

③ 
아름답다

④ 
음식이 많다

⑤ 
사람이 별로 없다

⑥ 
깨끗하고 멋있다

2 여러분은 특별한 장소에서 찍은 사진이 있어요? 그곳은 어때요? 친구하고 그 사진을 보면서 이야기해 봐요.
Do you have pictures taken at a special place? How was the place? Look at those pictures and talk with your partner.

5

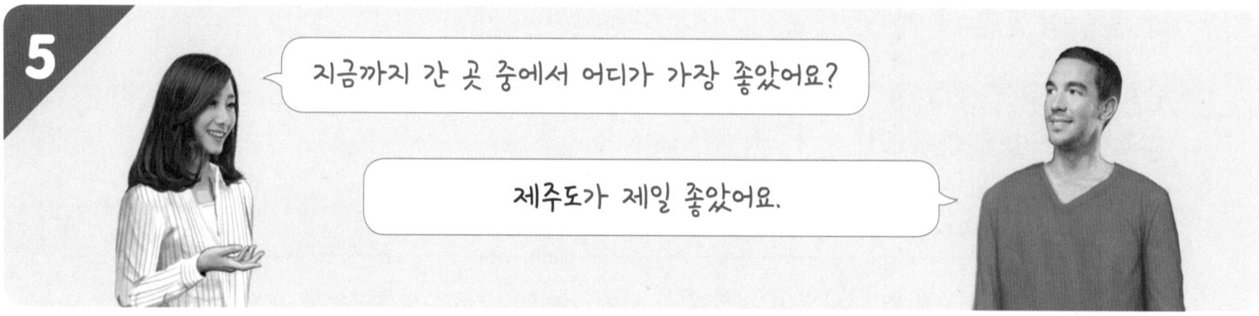

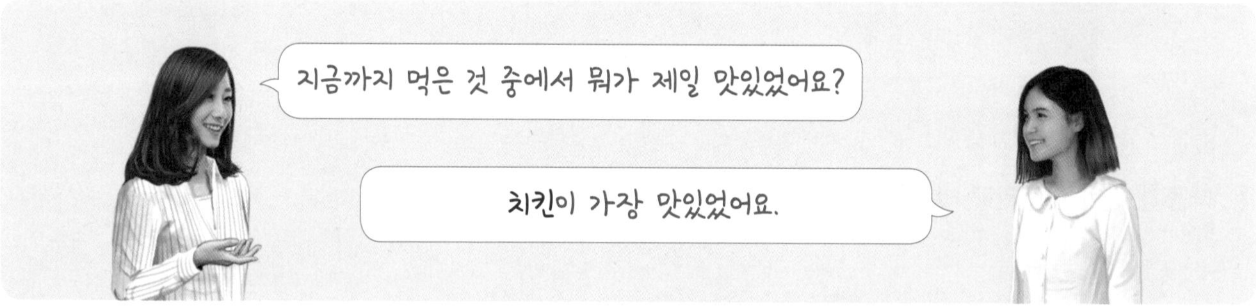

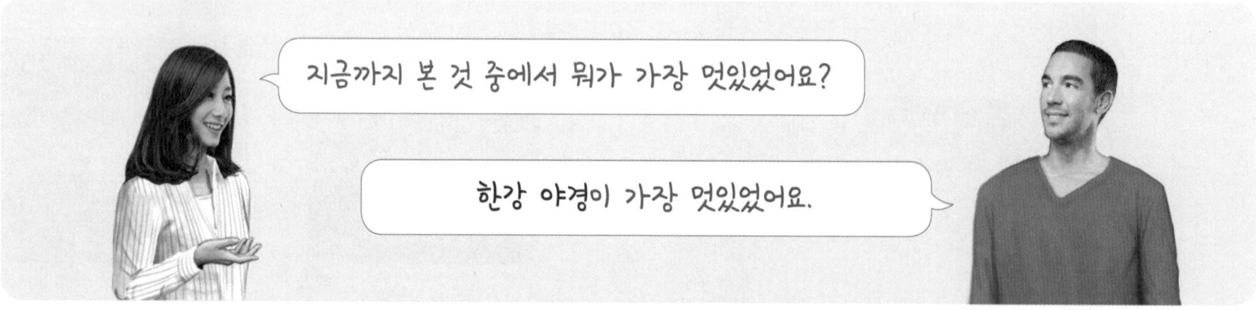

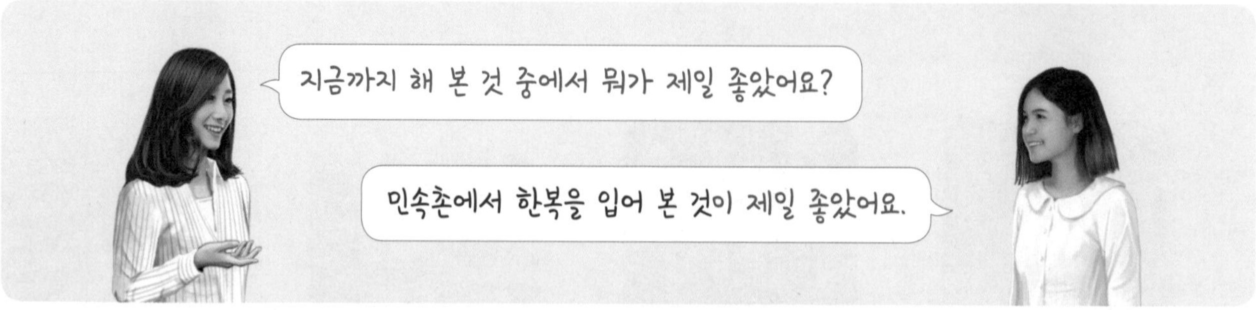

1 그림을 보고 친구하고 이야기해 봐요.
Look at those pictures and talk with your partner.

①

온천

②

미술관

③

불고기

④

비빔밥

⑤

민속촌

⑥

호수

2 여러분은 지금까지 한국에서 경험해 본 것 중에서 뭐가 제일 좋았어요? 친구하고 이야기해 봐요.
What is the best experience you have ever had in Korea? Ask each other and respond.

간 곳　　먹은 것　　본 것　　해 본 것

한 번 더 연습해요 Let's practice again

1 다음 대화를 들어 보세요.
Listen to the conversation.

1) 카밀라 씨는 어디에 여행을 갔어요?
Where did Camila travel to?

2) 거기에서 무엇을 했어요?
What did she do there?

2 다음 대화를 연습해 보세요.
Practice the conversations below with your partner.

이건 어디에서 찍은 거예요?

쇼핑몰에서 찍은 거예요.
부산 여행 때 가 봤어요.

부산에서 간 곳 중에서 어디가 가장 좋았어요?

바닷가가 제일 좋았어요.
이게 바닷가 사진이에요.

정말 좋았겠네요.

3 **여러분도 이야기해 보세요.**
Ask each other questions and respond.

1)

가	어디에서 찍다
나	폭포
	제주도
	해수욕장

2)

가	어디에서 먹다
나	시장
	중국
	만두

3)

가	어디에서 찍다
나	박물관
	영국
	공원

이제 해 봐요 Let's try

들어요

1 다음은 여행 경험에 대한 대화입니다. 잘 듣고 질문에 답해 보세요. (073)

The conversation is about travel experience. Listen carefully and answer the questions.

1) 웨이 씨는 여행지에서 어디에 갔어요? 무엇을 했어요? 순서대로 번호를 쓰세요.
Where did Wei visit on his trip? What did he do? Number his activities in order.

2) 들은 내용과 같은 것을 고르세요.
Listen to the passage, and choose the correct statement.

① 웨이 씨는 혼자 여행을 갔어요.

② 웨이 씨는 여행지에서 요리를 배웠어요.

③ 웨이 씨는 여행지에서 수영을 해 봤어요.

말해요

1 여러분의 여행 경험에 대해 이야기해 보세요.

Talk about your travel experiences.

1) 지금까지 한 여행 중에서 어떤 곳이 가장 좋았어요? 어디에 가고 무엇을 해 봤어요? 또 그곳의 느낌은 어땠어요? 메모하세요.
What place did you like the most among those you have visited? Where did you go and what did you do? How did you feel there? Write about the experience.

간 곳	한 일	느낌

2) 메모한 내용을 바탕으로 친구하고 이야기하세요.
Based on your notes, ask each other and respond.

3) 친구가 간 여행지 중에서 어디에 가 보고 싶어요? 왜 그렇게 생각해요?
Where do you want to visit among the places your partner has traveled to? Why?

읽어요

1 다음은 두엔 씨가 여행을 갔다 와서 쓴 글입니다. 잘 읽고 질문에 답해 보세요.
The passage is about Duen's travel experience. Read carefully and answer the questions.

저는 여행을 좋아해요. 그래서 한국에서 여행을 많이 해 봤어요. 지금까지 간 곳 중에서 태백이 제일 좋았어요. 태백에는 작년 겨울에 친구하고 같이 갔어요. 태백에 갔을 때 눈이 많이 왔어요. 제 고향에는 눈이 안 와서 저는 그날 눈을 처음 봤어요. 나무(tree)도 산도 모두 ㉠하얗고 예뻤어요. 우리는 눈으로 만든 카페에도 들어가 봤어요. 정말 좋았어요.

1) 두엔 씨는 어디에 여행을 갔어요?
Where did she travel to?

2) 두엔 씨는 왜 그곳이 가장 좋았다고 했어요?
What place did she like the place most? Why?

3) '㉠하얗고'의 의미가 무엇일까요?
What is the meaning of ㉠하얗고?

쓰기 써요

1 여러분의 여행 경험을 써 보세요.
Write a passage about your travel experiences.

1) 다음에 대해 메모하세요.
Take a note of the following.

☆ 어디에 갔어요?

☆ 거기에서 무엇을 했어요?

☆ 거기에서 무엇이 제일 좋았어요?

☆

2) 메모한 내용을 바탕으로 글을 쓰세요.
Based on the keywords, write a passage.

발음 비음화 Nasalization

- 밑줄 친 부분의 발음에 주의하면서 다음을 들어 보세요. 074

  Listen carefully to the sentences below, particularly to the pronunciation of the underlined parts.

1)

가 친구랑 경주에 갔다 왔어요.

나 참 좋았겠네요.

2)

가 밥하고 국 더 먹을래요?

나 밥만 좀 더 주세요.

When the final consonants ㄱ(ㄲ, ㅋ, ㄳ, ㄺ), ㄷ(ㅅ, ㅆ, ㅈ, ㅊ, ㅌ, ㅎ), ㅂ(ㅍ, ㄼ, ㄿ, ㅄ) come before ㄴ, ㅁ, they change to the nasal sounds ㅇ, ㄴ, ㅁ.

- 다음을 읽어 보세요.

  Read the sentences below.

1) 한국말을 더 잘하고 싶어요.
2) 하준 씨는 대학교 삼학년이에요.
3) 봄이라서 경치가 예뻤겠네요.
4) 수업이 끝난 후에 만나요.
5) 요즘 날씨가 참 덥네요.
6) 다른 건 다 있는데 지갑만 없어요.

- 들으면서 확인해 보세요. 075

  Listen and check the pronunciation.

자기 평가
Self-Check

이번 과 공부는 어땠어요? 별점을 매겨 보세요!

How was this lesson? Please rate it.

여행 경험에 대해 묻고 답할 수 있어요?	☆☆☆☆☆

8

옷 사기

Clothes Shopping

생각해 봐요 Let's think 081

1. 여기는 어디예요? 웨이 씨는 무엇을 사려고 해요?
   Where is it? What does Wei want to buy?
2. 여러분은 어떤 옷을 사고 싶어요?
   Which clothes do you want to buy?

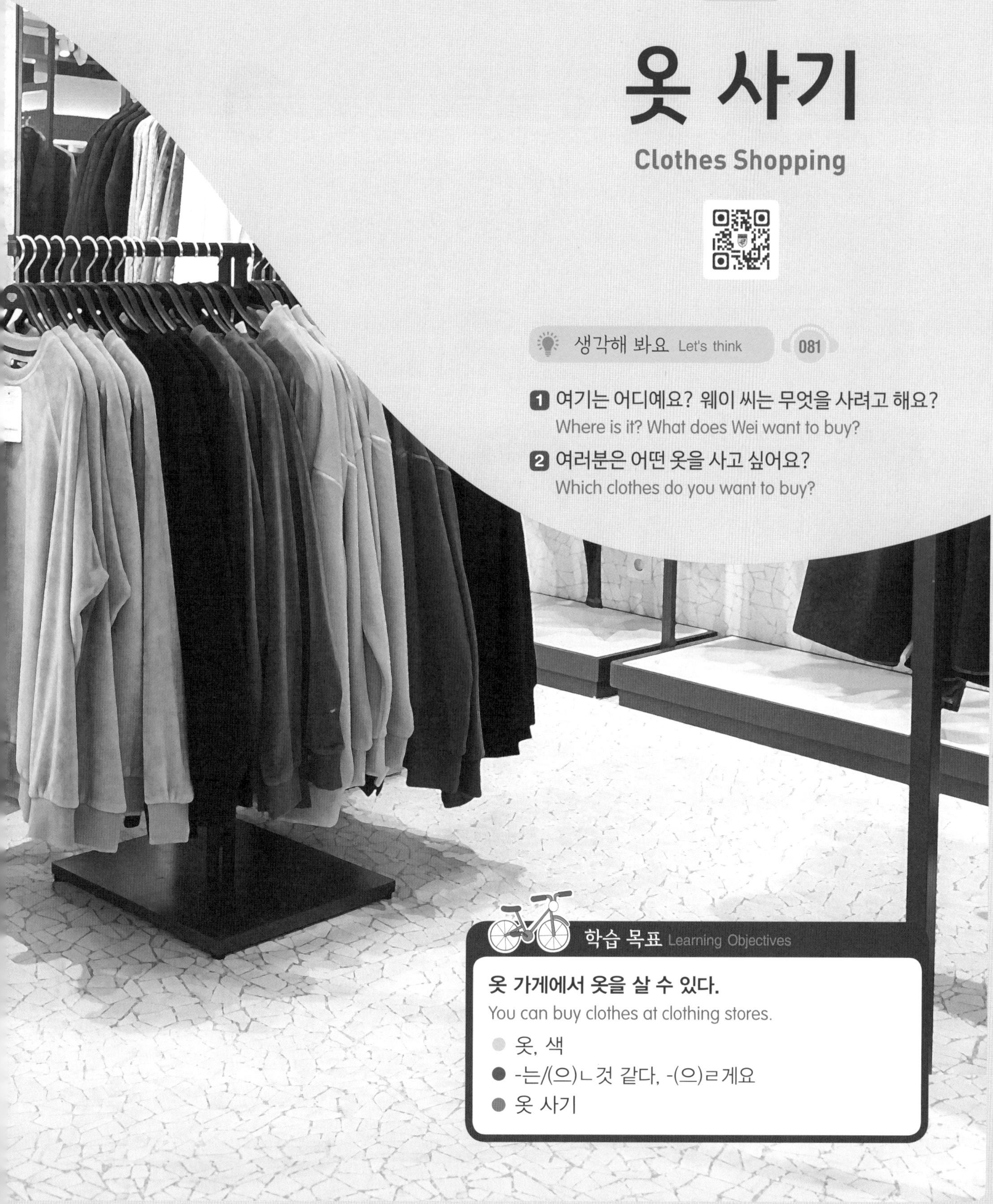

학습 목표 Learning Objectives

옷 가게에서 옷을 살 수 있다.

You can buy clothes at clothing stores.

- 옷, 색
- -는/(으)ㄴ 것 같다, -(으)ㄹ게요
- 옷 사기

배워요 Let's learn

1

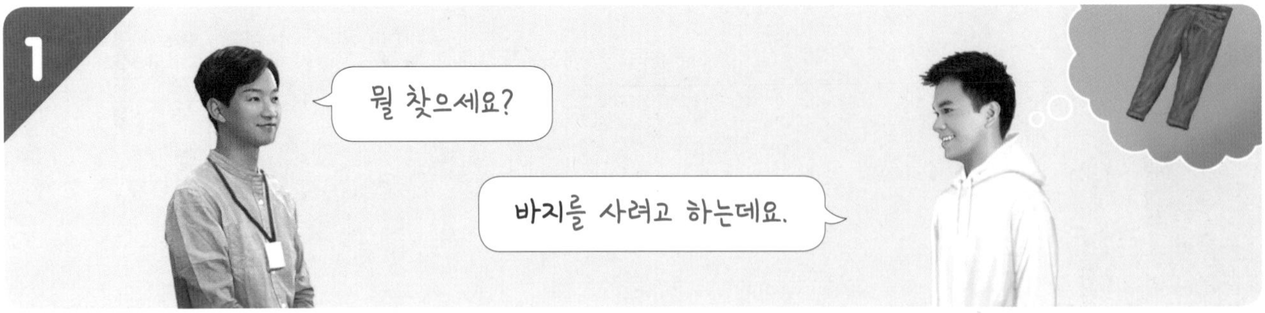

옷 clothes

바지
청바지
반바지
치마
셔츠
티셔츠
블라우스
스웨터
카디건
점퍼
재킷
코트
원피스

1 **다음과 같이 이야기해 봐요.**
Practice with your partner as shown below.

가 뭘 찾으세요?
나 정장을 사려고 하는데요.

①

②

③

④

⑤

⑥

⑦

⑧

⑨

2 **다음에 대해 친구하고 이야기해 봐요.**
Ask each other and respond.

가장 많은 옷	자주 입는 옷	사고 싶은 옷	

2

색 color

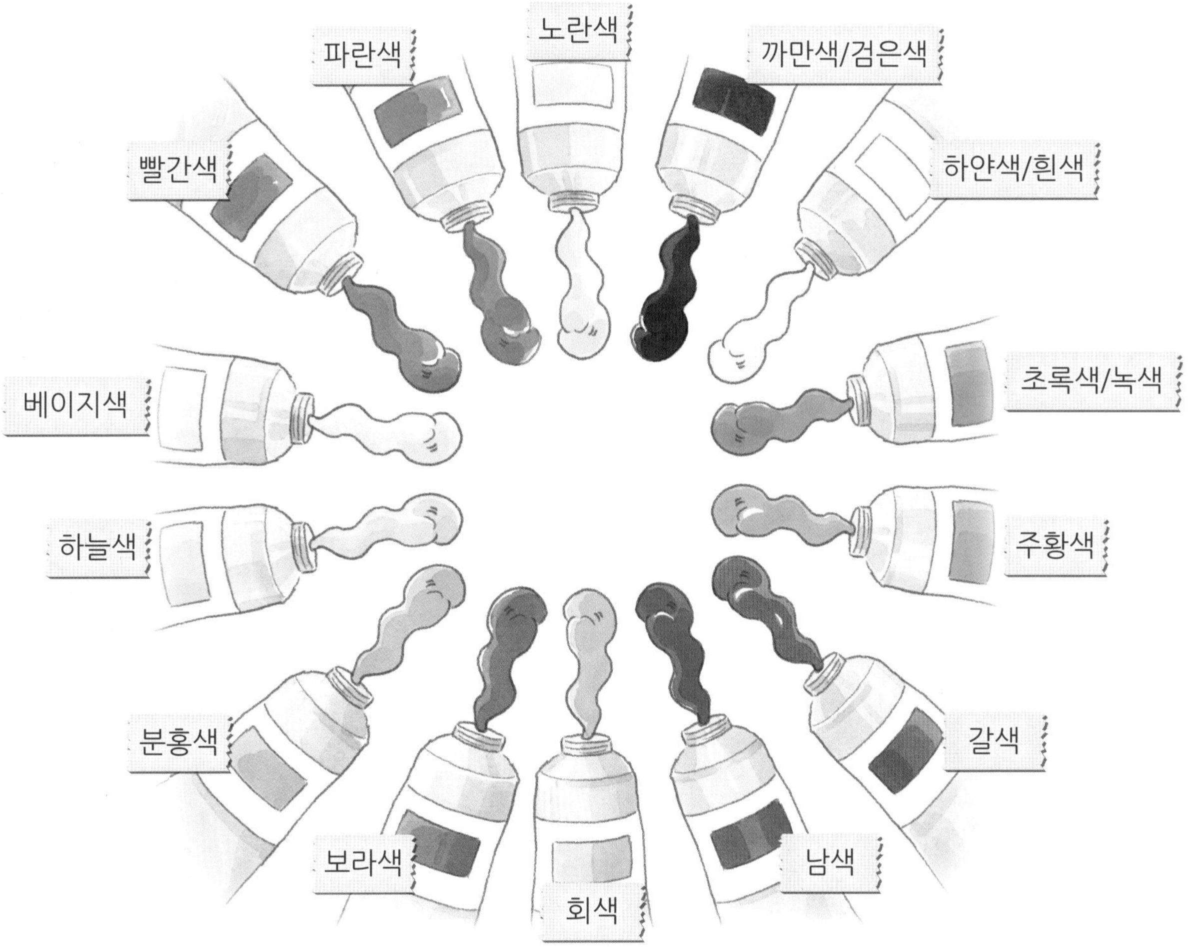

1) 가 이 빨간색 셔츠는 어떠세요?
나 그 색은 마음에 안 들어요.

2) 가 지아 씨는 보라색이 정말 잘 어울려요.
→ 어울리다 look good on
나 고마워요.

1 다음과 같이 이야기해 봐요.

Practice with your partner as shown below.

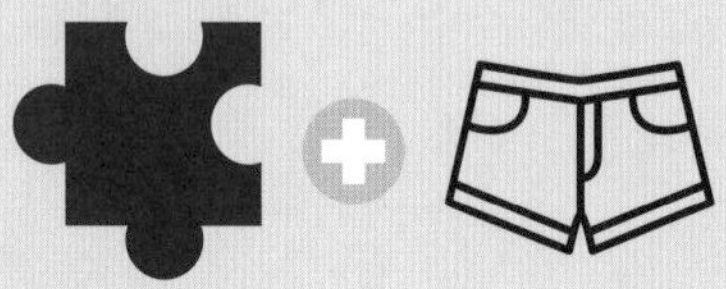

가 뭘 찾으세요?

나 까만색 바지 있어요?

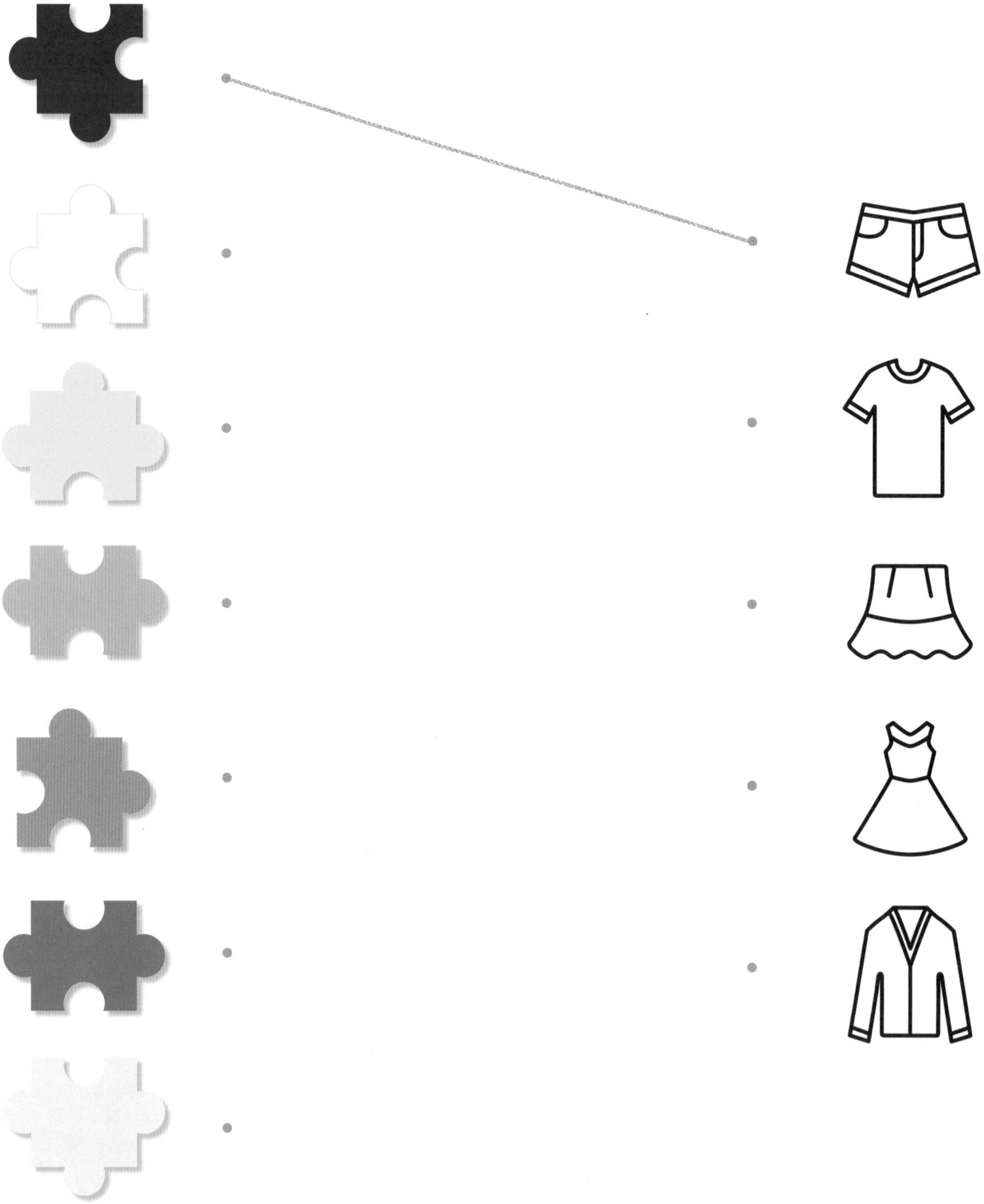

① ② ③ ④ ⑤ ⑥

2 **다음에 대해 친구하고 이야기해 봐요.**
Ask each other and respond.

무슨 색 옷이 많다	무슨 색 옷이 적다	좋아하는 색	싫어하는 색

3

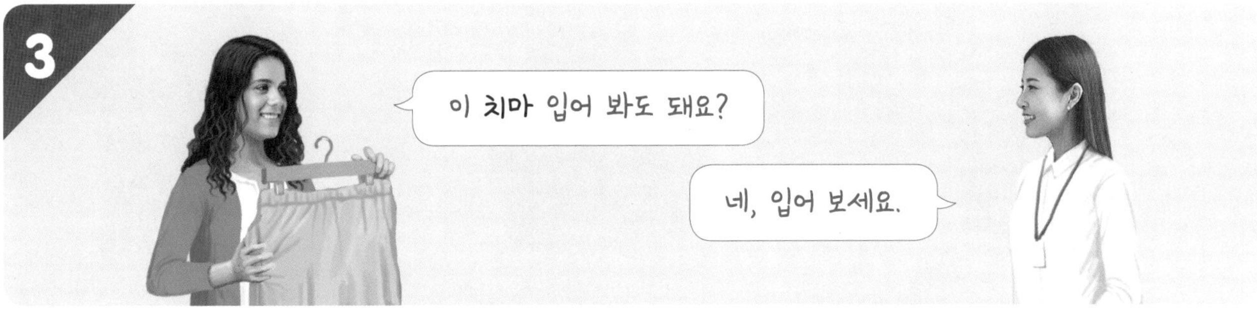

1 **사진을 보고 친구하고 이야기해 봐요.**
Look at the pictures and practice with your partner.

①
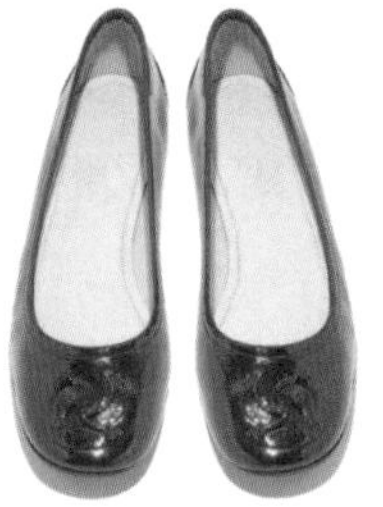

②

③

④

⑤

⑥

1) 가 어떠세요? 마음에 드세요?
   나 이건 저한테 잘 안 어울리는 것 같아요.

2) 가 옷이 잘 맞으세요? (맞다 fit)
   나 아니요, 좀 작은 것 같아요.

3) 가 한국 사람들은 매운 음식을 좋아하는 것 같아요.
   나 그래요? 안 좋아하는 사람들도 많아요.

4) 가 다니엘 씨는 왜 안 와요?
   나 오늘 약속이 있는 것 같아요. (약속 appointment)

-는 것 같다/(으)ㄴ 것 같다

- 어떤 사실이나 상태에 대한 추측을 나타낸다.
  It indicates an assumption about a fact or condition.
- 자신의 의견을 겸손하고 부드럽게 이야기할 때 사용하기도 한다.
  It is also used to suggest one's thoughts or opinions in a polite and humble way.

동사, '있다, 없다'		-는 것 같다	먹는 것 같다
			가는 것 같다 노는 것 같다
형용사	받침이 있을 때	-은 것 같다	작은 것 같다
	받침이 없거나 'ㄹ' 받침일 때	-ㄴ 것 같다	큰 것 같다 긴 것 같다

1 다음과 같이 이야기해 봐요.
Practice with your partner as shown below.

좀 작다

가 어떠세요? 마음에 드세요?
나 좀 작은 것 같아요.

① 좀 크다
② 잘 맞다
③ 안 어울리다
④ 좀 길다
⑤ 생각보다 편하다
⑥ 색이 좀 어둡다

2 여러분은 우리 반 친구들에 대해서 많이 알고 있어요? 친구는 어떤 것 같아요? 다음과 같이 이야기해 봐요.
How much do you know about your classmates? How much do you think your partner knows about your classmates? Practice with your partner as shown below.

좋아하는 옷

가 ○○ 씨는 무슨 옷을 좋아하는 것 같아요?
나 셔츠를 좋아하는 것 같아요.

좋아하는 옷

사는 곳

좋아하는 색

3 어떤 것 같아요? 다음에 대해 친구하고 이야기해 봐요.
What do you think about them? Ask each other and respond.

한국어 공부	한국 아이돌 가수	?

5

1) 가 어떠세요? 마음에 드세요?
   나 조금 별로예요. 다음에 올게요.

2) 가 현수 씨, 오늘 또(also) 늦었네요.
   나 미안해요. 내일부터는 일찍 올게요.

3) 가 오늘 점심은 제가 살게요.
   나 그러면 커피는 제가 살게요.

4) 가 무함마드 씨, 언제 올 거예요?
   나 오늘은 제가 좀 바빠요. 내일 갈게요.

-(으)ㄹ게요

- 자신의 결정이나 상대에 대한 약속을 나타낸다.
  It indicates a promise or decision to do something for the listener.

- 여러 대상, 물건 가운데 하나를 선택할 때는 '(으)로'를 사용해요.
  (으)로 is used to pick one among multiple choices, objects.
  주스로 주세요. 빨간색으로 할게요. 이걸로 살게요.

1 다음과 같이 이야기해 봐요.
Practice with your partner as shown below.

다음에 오다

가 이걸로 드릴까요?

나 다음에 올게요.

① 다음에 사다

② 나중에(later) 다시 오다

③ 조금 더 보다

④ 다른 것도 입어 보다

2 그림을 보고 친구하고 이야기해 봐요.
Look at the pictures and practice with your parther.

①

②

③

④

⑤

⑥

한 번 더 연습해요 Let's practice again

1 다음 대화를 들어 보세요.
Listen to the conversation.

1) 여자는 무슨 옷을 사려고 해요?
Which clothes does she want to buy?

2) 여자는 무슨 색의 옷을 사고 싶어 해요?
Which color does she like for her clothes?

2 다음 대화를 연습해 보세요.
Practice the conversations below with your partner.

어서 오세요. 뭘 찾으세요?

원피스를 하나 사려고 하는데요.

이 노란색 원피스는 어떠세요?

괜찮네요. 입어 봐도 돼요?

네, 입어 보세요.

어떠세요?

이건 저한테 잘 안 어울리는 것 같아요.
다음에 올게요.

3 여러분도 이야기해 보세요.

Ask each other questions and respond.

1)
가 
나
멋있다
잘 맞다

2)
가 
나
좋다
좀 크다

3)
가 
나
괜찮다
색이 너무 어둡다

4)
가 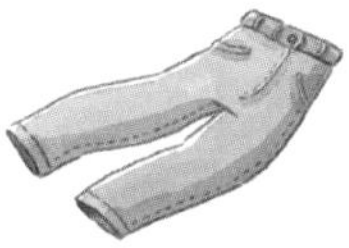
나
괜찮다
잘 어울리다

이제 해 봐요 Let's try

들어요

1 다음은 옷 가게에서의 대화입니다. 잘 듣고 질문에 답하세요. 083

The conversation takes place at a clothing store. Listen carefully and answer the questions.

1) 남자는 무슨 옷을 샀어요? 쓰세요.
What clothes did the man buy? Write the answer.

2) 들은 내용과 같으면 ○, 다르면 ×에 표시하세요.
Mark ○ if the statement is true and × if the statement is false.

① 남자는 짧은 옷을 사고 싶어 해요. ○ ×

② 남자는 회색 옷을 입어 봤어요. ○ ×

읽어요

1 다음은 옷을 산 경험에 대해 쓴 글입니다. 잘 읽고 질문에 답해 보세요.

The passage is about an experience of buying clothes. Read carefully and answer the questions.

주말에 옷을 사러 백화점에 갔어요. 여름 치마를 사고 싶었어요. 백화점에는 예쁜 옷들이 많았어요. 초록색 치마를 입어 봤는데 조금 긴 것 같았어요. 그리고 많이 비쌌어요. 안 사고 백화점에서 나왔어요. 백화점 근처에 작은 옷 가게가 하나 있었어요. 들어가서 구경을 했어요. 파란색 치마가 예뻐서 입어 봤어요. 나한테 잘 어울리고 싸서 그 치마를 샀어요.

1) 이 사람은 무슨 옷을 사러 갔어요?
What clothes did she want to buy?

2) 이 사람은 백화점에서 왜 옷을 안 샀어요?
Why didn't she buy clothes at the department store?

3) 이 사람은 무슨 옷을 샀어요? 왜 그 옷을 샀어요?
What clothes did she buy? Why did she buy it?

말해요

1 점원과 손님이 되어 옷 가게에서 옷을 사고팔아 보세요.

Play the roles of the clerk and customer at a clothing store and practice buying and selling clothes.

1) 여러분은 무슨 옷을 사고 싶어요? 사고 싶은 옷, 색, 가격을 메모하세요.
Which clothes do you want to buy? Write down the clothes you want to buy, their color, and price.

옷의 종류	색	가격
✓ 블라우스	✓ 분홍색	✓ 20,000원 정도

2) 여러분의 옷 가게에는 무슨 옷이 있어요? 얼마예요? 가격을 메모하세요.
What clothes are available at the clothing shop? How much are they? Write down their prices.

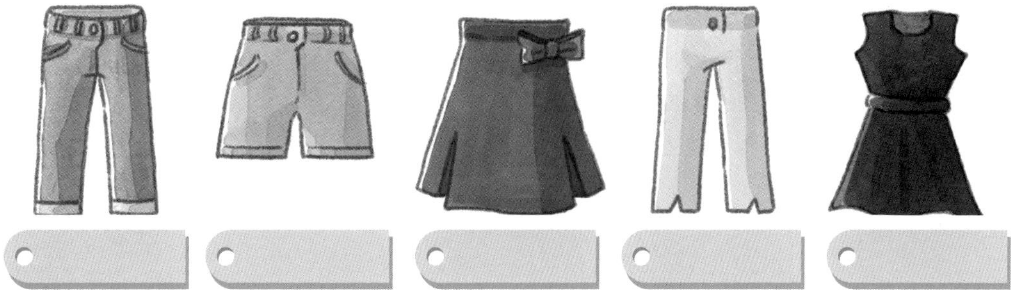

3) 옷을 사고파세요.
Practice buying and selling the clothes with your partner.

쓰기

1 **여러분이 좋아하는 옷에 대해 써 보세요.**
Write a passage about your favorite clothes.

1) 다음에 대해 메모하세요.
Take a note of the following.

어떤 옷을 좋아해요?

어떤 옷을 자주 입어요?

무슨 색을 좋아해요?

어떤 옷이 잘 어울려요?

2) 메모를 바탕으로 글을 쓰세요.
Based on the keywords, write a passage.

문화 한국인과 색 Koreans and color

- **한국을 대표하는 색은 무슨 색일까요?**
  What is Korea's representative color?

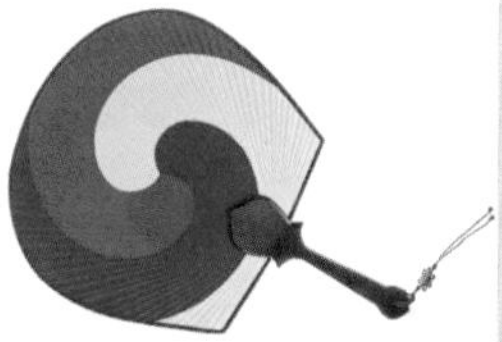

Koreans traditionally prefer to use various colors in harmony.

- **한국 사람이 좋아하는 색은 어떤 색일까요?**
  Which color do Koreans prefer?

According to a survey, Koreans preferred blue the most, followed by green, purple, and dark blue. Almost half of the respondents answered that they liked a bluish color the most.

✓ 한국인이 좋아하는 색

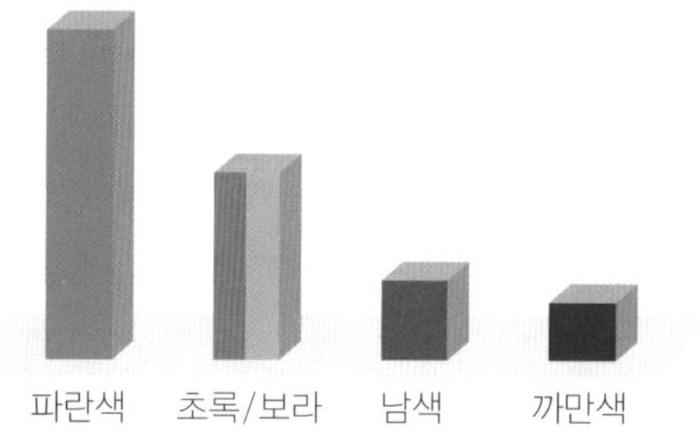

However, they responded that they liked to wear black clothes the most. Koreans seem to believe black is a classy, elegant, and refined color regardless of the season.

- **여러분 나라에서는 어떤 색이 인기가 많아요? 친구하고 이야기해 보세요.**
  Which color is popular in your country? Ask each other and respond.

자기 평가
Self-Check

이번 과 공부는 어땠어요? 별점을 매겨 보세요!
How was this lesson? Please rate it.

옷 가게에서 옷을 살 수 있어요?	☆ ☆ ☆ ☆ ☆

9

축하와 위로

Congratulations & Consolation

생각해 봐요 Let's think 091

1 오늘은 무슨 날이에요? 지아 씨는 기분이 어떤 것 같아요?
What day is it today? How do you think Jia feels?

2 여러분은 오늘 기분이 어때요?
How do you feel today?

학습 목표 Learning Objectives

축하와 위로를 할 수 있다.

You can congratulate and console each other.

- 기분 · 감정, 축하하는 일, 위로하는 일
- -는데/(으)ㄴ데, -(으)ㄹ 것이다
- 축하하기, 위로하기

배워요 Let's learn

1

기분·감정 feelings·emotions

행복하다

기쁘다

걱정되다

외롭다

무섭다

슬프다

짜증이 나다

화가 나다

기분이 좋다

기분이 안 좋다

기분이 나쁘다

1) 가 기분이 안 좋아요?
   나 네, 좀 짜증이 나요.

2) 가 무슨 좋은 일 있어요?
   나 네, 시험이 끝나서 정말 기뻐요.

1 알맞은 것을 연결하고 다음과 같이 이야기해 봐요.
Match each statement with the appropriate feeling, and practice with your partner as shown below.

> 가 무슨 일 있어요?
> 나 내일 시험이 있어요. 너무 걱정돼요.

① 	나만 여자 친구가 없다	기쁘다
② 	내일 시험이 있다	외롭다
③ 	친구가 제 생일을 모르다	슬프다
④ 	기숙사에 혼자 있다	걱정되다
⑤ 	친구가 고향으로 돌아가다	화가 나다
⑥ 	좋아하는 가수의 콘서트에 가다	무섭다

2 여러분은 언제 기분이 좋아요? 언제 화가 나요? 친구하고 이야기해 봐요.
When do you feel good? When do you get angry? Ask each other and respond.

| 기분이 좋다 | 외롭다 | 짜증이 나다 |
| 행복하다 | 무섭다 | 화가 나다 |

맛있는 음식을 먹다
잠을 못 자다
돈이 없다
비가 오다
날씨가 좋다
밤에 집에 혼자 있다
배가 고프다
?
선물을 받다 (받다 → receive)
숙제가 많다
아프다
친구가 전화를 안 하다

2

축하하는 일 things to congratulate someone for

시험을 잘 보다

장학금을 받다

시험에 합격하다

아르바이트를 구하다

회사에 취직하다

승진하다

남자/여자 친구가 생기다

결혼하다

- '결혼하다'는 미래의 일이라도 '결혼할 거예요'라고 말하지 않고 '결혼해요'라고 말해요.
  We say 결혼해요, not 결혼할 거예요, for 결혼하다, even if it will happen in the future.
  저 다음 달에 결혼해요.

1 사진을 보고 친구하고 이야기해 봐요.
Look at the pictures and practice with your partner.

①

②

③

④

2 여러분은 최근에 무슨 좋은 일이 있었어요? 친구하고 이야기해 봐요.
Have you been congratulated recently? Ask each other and respond.

3

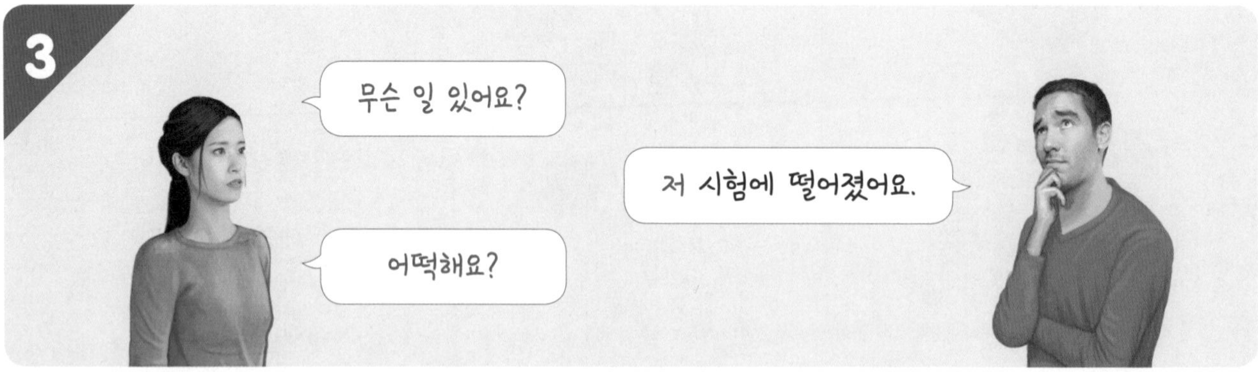

위로하는 일 things to console someone for

시험을 잘 못 보다

시험에 떨어지다

발표할 때 실수하다

물건을 잃어버리다

물건이 고장 나다

남자/여자 친구하고 헤어지다

동생이 아프다

할아버지가 편찮으시다

할머니가 돌아가시다

강아지가 죽다

1 그림을 보고 친구하고 이야기해 봐요.
Look at the pictures and practice with your partner.

①

②

③

④

2 여러분은 최근에 무슨 안 좋은 일이 있었어요? 친구하고 같이 이야기해 봐요.
Have you been consoled recently? Ask each other and respond.

4

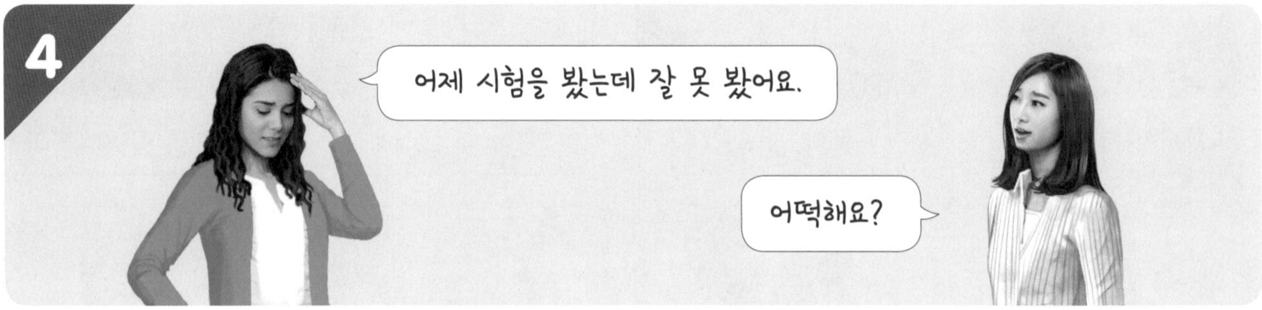

1) 가 무슨 일 있어요?
   나 어제 휴대폰을 새로 샀는데 잃어버렸어요.

2) 가 밖에 비가 오는데 우산 있어요?
   나 네, 이거 쓰세요.

3) 가 다니엘 씨, 얼굴이 안 좋은데 어디 아파요?
   나 아니요, 그냥 좀 피곤하네요. (그냥 → just)

4) 가 내일 면접을 보는데 좀 도와줄 수 있어요? (면접 → interview)
   나 그래요. 제가 도와줄게요.

-는데/(으)ㄴ데

- 앞의 내용이 뒤의 내용에 대한 상황이나 배경이 됨을 나타낸다.
  It is used when the preceding clause explains the situation or the background of the following clause.

동사, '있다, 없다'		-는데	먹는데 가는데 있는데
형용사	받침이 있을 때	-은데	작은데
	받침이 없거나 'ㄹ' 받침일 때	-ㄴ데	큰데 먼데

1 다음과 같이 이야기해 봐요.
Practice with your partner as shown below.

내일 면접이 있다, 몸이 안 좋다

가 내일 면접이 있는데 몸이 안 좋아요.

나 어떡해요?

① 오늘 등산을 가다, 밖에 비가 오다

② 배가 아프다, 휴지가 없다

③ 내일 면접을 보다, 얼굴에 뭐가 났다

④ 지갑을 선물 받았다, 잃어버렸다

⑤ 어제 옷을 샀다, 작다

⑥ 내일부터 방학이다, 아르바이트가 있어서 고향에 못 가다

2 다음과 같이 이야기해 봐요.
Practice with your partner as shown below.

내일 발표를 하다, 친구가 도와줬다

가 내일 발표를 하는데 친구가 도와줬어요.

나 잘됐네요.

① 동생이 중국에 살다, 내일 한국에 놀러 오다

② 지난주에 면접을 봤다, 합격했다

③ 좋아하는 사람이 있다, 그 사람도 날 좋아하다

④ 어제 명동에 갔다, 영화배우를 봤다

5

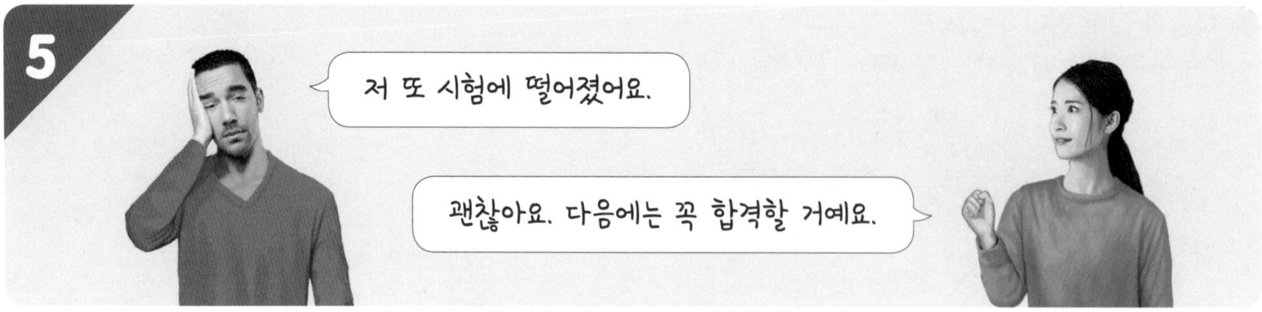

1) 가 다음 주에 면접이 있는데 너무 걱정돼요.
   나 걱정하지 마세요. 잘할 거예요.
   (걱정하지 마세요 → Don't worry)

2) 가 이거 지아 씨 주려고 하는데 어때요?
   나 예쁘네요. 지아 씨가 좋아할 거예요.

3) 가 내일 숙제가 있어요?
   나 저도 오늘 학교에 안 가서 몰라요. 아마 없을 거예요.
   (아마 → maybe)

4) 가 불고기는 매워요?
   나 글쎄요. 저도 아직 안 먹어 봤어요. 아마 안 매울 거예요.
   (글쎄요 → well)

-(으)ㄹ 것이다

- 어떤 사실이나 상태에 대한 추측을 나타낸다.
  It indicates the speaker's guess about something or a condition.

1 다음과 같이 알맞은 것을 연결하고 이야기해 봐요.

Match each statement with an appropriate response.

가 저 이번에도 승진을 못 했어요.

나 괜찮아요. 다음에는 꼭 승진할 거예요.

① 내일 산에 가는데 지금 비가 오다	꼭 찾다
② 이번에도 승진을 못 했다	잘하다
③ 내일 면접을 보는데 너무 걱정되다	내일은 안 오다
④ 어제 산 가방을 잃어버렸다	더 좋은 사람 만나다
⑤ 사귀는 사람하고 헤어졌다	다음에는 꼭 승진하다
⑥ 동생이 아프다	다음에는 잘 보다
⑦ 열심히 공부했는데 시험을 잘 못 봤다	곧 낫다 (곧: soon)

2 다음과 같이 이야기해 봐요.

Practice with your partner as shown below.

저 식당, 음식이 비싸다 — O

가 저 식당은 음식이 비싸요?

나 글쎄요. 아마 비쌀 거예요.

① 내일, 비가 오다 — O

② 다음 주, 시험이 있다 — X

③ 기말시험, 어렵다 — O

④ 지아 씨, 꽃을 좋아하다 — X

⑤ 하준 씨, 여자 친구 있다 — O

⑥ 저 떡볶이, 맵다 — X

⑦ 저 카페, 사람이 많다 — O

⑧ 저 가수, 결혼했다 — X

한 번 더 연습해요 Let's practice again

1 **다음 대화를 들어 보세요.** 092
Listen to the conversation.

1) 지아 씨는 지금 기분이 어때요?
How does Jia feel now?

2) 지아 씨는 무슨 일이 있었어요?
What happened to Jia?

2 **다음 대화를 연습해 보세요.**
Practice the conversations below with your partner.

지아 씨, 무슨 일 있어요?
오늘 기분이 안 좋은 것 같아요.

동생이 감기에 걸렸는데
기침을 많이 하고 잠도 못 자요.

어떡해요? 걱정되겠네요.

동생이 빨리 나으면 좋겠어요.

3 여러분도 이야기해 보세요.
Ask each other questions and respond.

1)

가	기분이 안 좋다	나	내일 면접이 있다, 준비를 많이 못 했다
	걱정되다		면접을 잘 보다

2)

가	기분이 좋다	나	지난달에 시험을 봤다, 합격했다
	행복하다		다음 시험에도 합격하다

3)

가	기분이 안 좋다	나	어제 가방을 샀다, 잃어버렸다
	짜증이 나다		찾을 수 있다

4)

가	기분이 좋다	나	아르바이트 면접을 봤다, 합격했다
	기쁘다		일이 재미있다

이제 해 봐요 Let's try

들어요

1 다음은 두 사람의 대화입니다. 잘 듣고 질문에 답하세요. 093

The following is a conversation between two people. Listen carefully and answer the questions.

1) 여자는 지금 기분이 어때요?
How is she now?

2) 들은 내용과 같으면 O, 다르면 X에 표시하세요.
Mark O if the statement is true and X if the statement is false.

① 여자는 이번 주에 면접을 볼 거예요. O X

② 여자는 남자하고 같이 면접을 준비할 거예요. O X

읽어요

1 다음은 웨이 씨의 생일 이야기입니다. 잘 읽고 질문에 답해 보세요.

The passage is about Wei's birthday. Read carefully and answer the questions.

저는 작년 겨울에 한국에 왔어요. 한국 생활은 모든 것(everything)이 다 재미있어요. 그렇지만 가족들이 보고 싶어서 가끔 외롭고 힘들 때도 있어요.

지난주 금요일은 제 생일이었어요. 그렇지만 그날도 저는 혼자 아침을 먹고 학교에 갔어요. 교실에 갔을 때 친구들이 생일 노래를 불러 주고 선물도 줬어요. 가족은 옆에 없었지만 좋은 친구들이 있어서 행복한 생일이었어요.

1) 웨이 씨의 생일은 언제예요?
When is Wei's birthday?

2) 읽은 내용과 같으면 ○, 다르면 ×에 표시하세요.
Mark ○ if the statement is true and × if the statement is false.

① 웨이 씨는 생일에 가족하고 같이 있었어요. ○ ×

② 웨이 씨는 친구들한테 생일 선물을 받았어요. ○ ×

③ 웨이 씨는 생일에 기분이 정말 안 좋았어요. ○ ×

말해요

1 친구들하고 축하할 일이나 위로할 일을 이야기해 보세요.

Practice with your partners things to congratulate or console someone for.

1) 요즘 좋은 일이 있어요? 아니면 걱정되거나 힘든 일이 있어요? 생각해 보세요.
Has anything good happened to you recently? Or do you have any worries or concerns? Let's think.

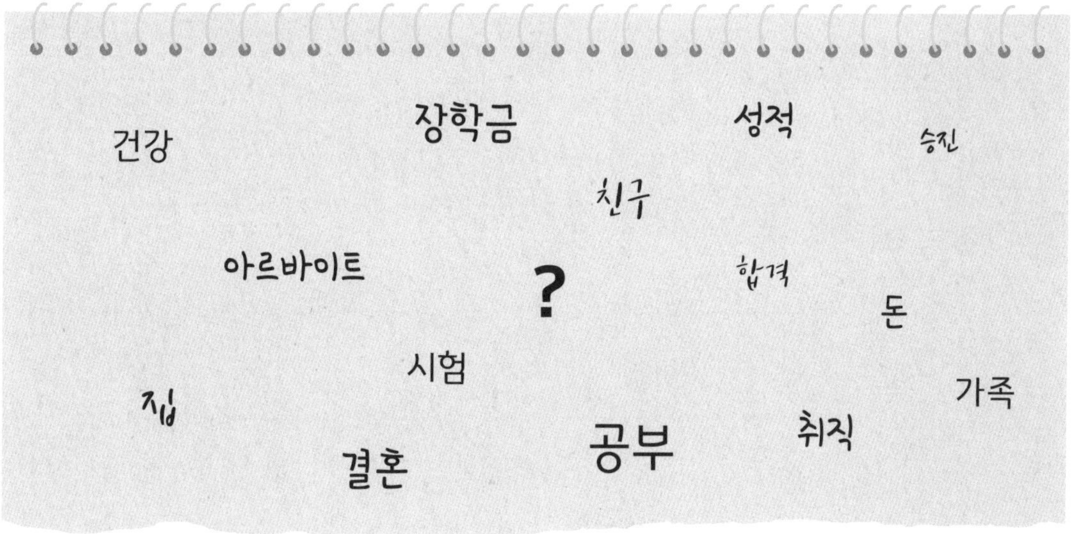

2) 친구한테 좋은 일이나 걱정되는 일을 이야기하세요. 그리고 여러분도 친구의 이야기를 듣고 축하나 위로를 해 주세요.
Talk to your partner about something you want to receive congratulations or consolation for. Congratulate or console your partner if applicable.

쓰요

1 축하나 위로를 받은 경험을 써 보세요.

Write a passage about your experiences of receiving congratulations or consolation.

1) 다음에 대해 생각해 보세요.
Think about these questions.

- 언제 무슨 일로 축하/위로를 받았어요?
  When and for which occasion did you receive congratulations/consolation?
- 누구한테 축하/위로를 받았어요?
  Who congratulated/consoled you?
- 그때 기분이 어땠어요?
  How did you feel?

2) 생각한 내용을 바탕으로 글을 쓰세요.
Based on your thoughts, write a passage.

3) 친구의 글을 읽고 무슨 말을 해 줄 수 있을까요? 생각해 보세요.
Think about what you would say to your partner after reading your partner's writing.

발음 소리 내어 읽기 2 Read aloud 2

- 다음을 읽어 보세요. 시간이 얼마나 걸렸어요? (094)
  Read the passage below. How long did it take?

1) 우리 오빠는 지금 한국에 없어요. 미국에서 유학 중이에요. 언어학을 공부하고 있어요. 어렸을 때부터 항상 오빠와 함께 지냈는데 지금 오빠가 옆에 없으니까 많이 보고 싶어요. 미국하고 시간이 달라서 전화하는 것도 힘들어요. 오늘 밤에는 꼭 영상 통화를 하고 잘 거예요.

2) 저는 홍대에 자주 가요. 홍대에는 구경할 것이 많아요. 액세서리 가게도 많고 옷 가게도 많이 있어요. 그리고 맛있는 식당도 많고요. 여러 나라의 다양한 음식을 맛볼 수 있어서 좋아요. 홍대를 좋아하는 제일 큰 이유는 여러 음악을 들을 수 있기 때문이에요. 음악을 들으면서 홍대 거리를 걸으면 아주 행복해요.

- 다시 읽어 보세요. 이번에는 틀리지 말고 정확히 읽어 보세요.
  Read it again. Read it carefully this time without making any mistakes.

- 다시 읽어 보세요. 이번에는 30초 안에 읽어 보세요.
  Read it again within 30 seconds.

자기 평가
Self-Check

이번 과 공부는 어땠어요? 별점을 매겨 보세요!
How was this lesson? Please rate it.

축하와 위로를 할 수 있어요?	☆☆☆☆☆

한국문화 동아

10

안부

Saying Hello

생각해 봐요 Let's think 101

1. 두 사람은 친구예요?
   Are they friends?
2. 여러분은 요즘 어떻게 지내요?
   How are you getting along these days?

학습 목표 Learning Objectives

오래간만에 만난 친구하고 안부를 묻고 답할 수 있다.

You can ask and respond to questions about catching up with friends who they have not seen for a while.

- 근황, 관계
- 반말(-아/어/여), 반말(-야), -(으)ㄹ
- 안부 묻고 답하기

배워요 Let's learn

1

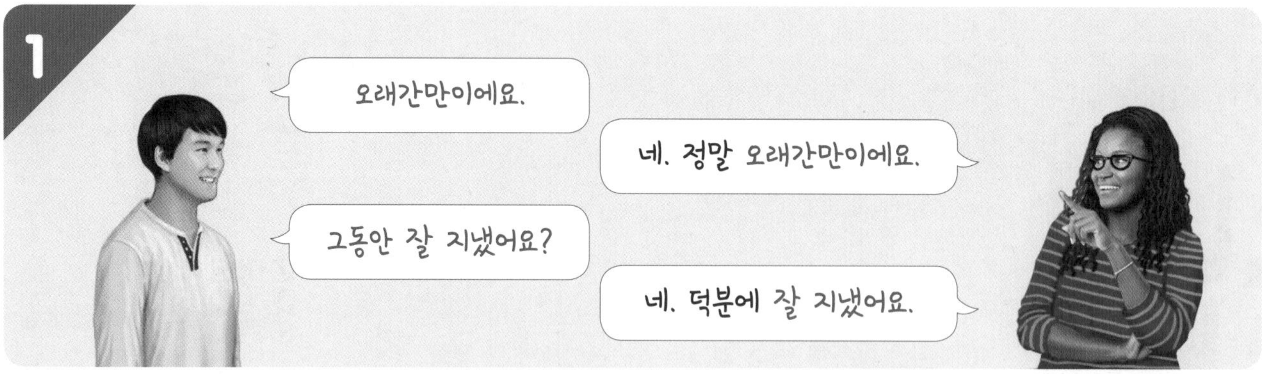

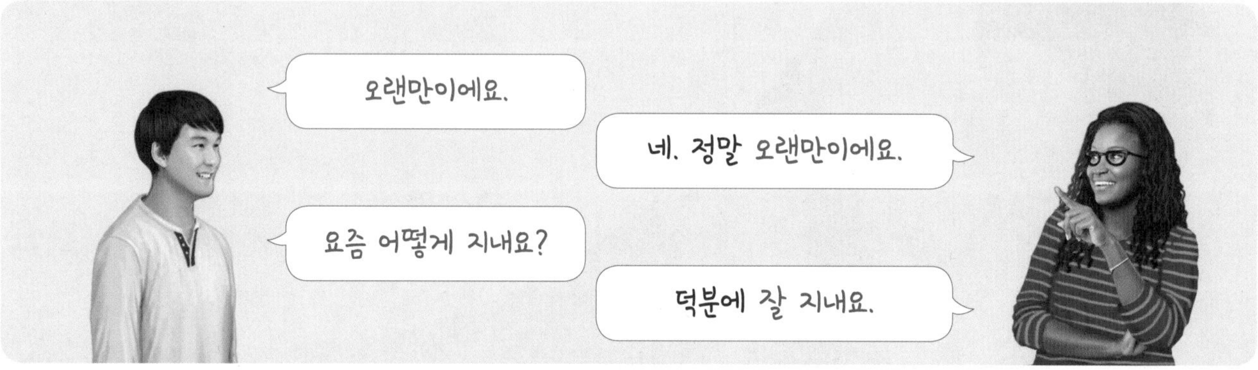

근황 catching up

잘 지내다　　별일 없다　　정신없이 바쁘다　　잘 못 지내다

1 다음과 같이 이야기해 봐요.
Practice with your partner as shown below.

덕분에 잘 지내다

가 그동안 잘 지냈어요?
나 덕분에 잘 지냈어요.

① 잘 지내다
② 별일 없다
③ 정신없이 바쁘다
④ 좀 아프다

2 친구는 요즘 어떻게 지내요? 이야기해 봐요.
How is your friend doing these days? Ask each other and respond.

2

관계 relationship

1) 가 요즘에도 과 동기들하고 자주 만나요?

나 아니요, 바빠서 연락도 못 하고 있어요.

→ 연락하다 contact

2) 가 이 식당에 처음 왔어요?

나 아니요, 사장님하고 몇 번 와 봤어요.

• '선배, 선배님, 사장님'은 사람을 부를 때도 사용해요.
선배, 선배님, 사장님 is used when calling someone.

1 **다음과 같이 이야기해 봐요.**
Practice with your partner as shown below.

직장 상사

가 이 사람은 누구예요?

나 직장 상사예요.

①

과 동기

②

후배

③

회사 동료

④

반 친구

2 **여러분의 휴대폰에는 누구 사진이 있어요? 친구들한테 소개해 봐요.**
Whose pictures do you have in your cellular phone? Describe them to your partners.

3

1) 가 그동안 잘 지냈어?
나 응, 잘 지냈어. 너도 잘 지냈지?
(너 → you)

2) 가 요즘 어떻게 지내?
나 다음 주에 시험이 있어서 정신없이 바빠.

3) 가 지난 주말에도 일했어?
나 아니, 지난 주말에는 오랜만에 집에서 푹 쉬었어.
(푹 → well)

4) 가 점심 먹으러 갈래?
나 응, 좋아. 뭐 먹고 싶어?

5) 가 오늘 모임에 지아는 안 와?
(모임 → gathering)
나 나도 잘 모르겠어. 지금 전화해 볼게.

6) 가 늦어서 미안해. 오래 기다렸지?
(오래 → for a while)
나 아니, 나도 조금 전에 왔어. 뭐 마실래?

7) 가 많이 늦었네. 저녁은 먹고 왔어?
나 응, 사장님께서 사 주셨어.

반말 1(-아/어/여)

- 반말은 나이가 많은 사람이 나이가 어린 사람한테 또는 나이가 비슷한 친구나 동료 사이에서 사용한다. 대부분의 경우 아래와 같이 '-아요/어요/여요'체에서 '요'를 빼면 반말이 된다.
  Informal speech is used among close friends or peers or to someone younger than you. In most cases, removing 요 from -아요/어요/여요 makes informal words.

-아요/어요/여요	→	-아/어/여
-았어요/었어요/였어요	→	-았어/었어/였어
-지요?	→	-지?
-(으)ㄹ게요	→	-(으)ㄹ게
-(으)ㄹ래요?	→	-(으)ㄹ래?

- '네'의 반말은 '응'이고, '아니요'의 반말은 '아니'예요. 일상 대화에서는 '응' 대신에 '어'를 쓰기도 해요.
  The informal word for 네 is 응 and 아니 for 아니요. In casual conversations, 어 is also used instead of 응.

1 지금 뭐 해요? 어제 뭐 했어요? 친구하고 반말로 묻고 대답해 봐요.

What are they doing now? What did they do yesterday? Ask each other and respond using informal words.

①

②

③

④

⑤

⑥

⑦

⑧

⑨

2 다음 대화를 반말로 바꿔서 이야기해 봐요.

Change the following conversation into informal speech and practice with your partner.

① 가 어디에서 왔어요?
나 베트남에서 왔어요.

② 가 영화 보는 것을 좋아해요?
나 네, 좋아해요.

③ 가 졸업한 후에 무슨 일을 하고 싶어요?
나 저는 대학원에 가려고 해요.

④ 가 보통 주말에 뭐 하세요?
나 한강에서 자전거를 타요.

⑤ 가 사장님을 뵈러 왔는데요. 계세요? (뵈다 meet with)
나 아니요, 조금 전에 퇴근하셨어요.

⑥ 가 할머니께서는 건강하세요?
나 좀 편찮으셨는데 이제 괜찮으세요.

3 **여러분은 오늘 뭐 해요? 어제 뭐 했어요? 친구하고 반말로 묻고 대답해 봐요.**
What will you do today? What did you do yesterday? Ask each other and respond using informal words.

4

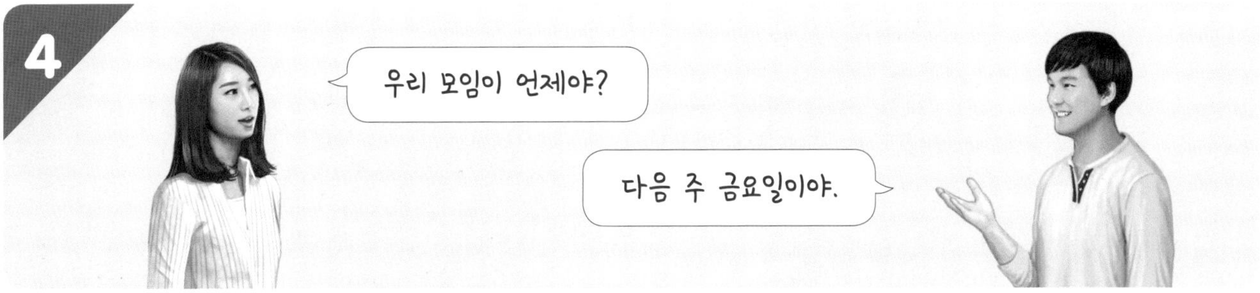

1) 가 지금 몇 시야?
   나 세 시 삼십 분이야.

2) 가 이거 지아 가방이야?
   나 응, 지아 거야.

3) 가 저 남자가 네(your) 남자 친구야?
   나 아니, 내 남자 친구 아니야. 과 선배야.

4) 가 오랜만이야. 그동안 잘 지냈어?
   나 정말 오랜만이야. 너도 잘 지냈지?

5) 가 수업 끝나고 뭐 할 거야?
   나 친구 만나서 식당에 갈 거야.

6) 가 주말에 뭐 할 거야?
   나 아직은 약속 없는데, 왜?

반말 2(-야)

- '-야'는 '이다', '아니다'에 붙는 반말체 어미이다.
  -야 makes an informal ending when suffixed to 이다, 아니다.
- 계획이나 예정을 나타내는 '-(으)ㄹ 것이다'의 반말은 '-(으)ㄹ 것이야'지만 일상 대화에서는 '-(으)ㄹ 거야'를 더 많이 사용한다.
  -(으)ㄹ 거야 is used more often as a casual expression for -(으)ㄹ 것이다 that indicates a plan or schedule.

1 다음에 대해 반말로 묻고 대답해 봐요.
Practice with your partner using informal words.

① 몇 월? / 8월
② 월요일? / 화요일
③ 어느 나라 사람? / 중국 사람
④ 중국 사람? / 한국 사람
⑤ 누구 전화? / 웨이 전화
⑥ 선배? / 친구
⑦ 사무실 어디? / 저기
⑧ 학생? / 선생님
⑨ 모임 언제? / 금요일 저녁

2 다음과 같이 이야기해 봐요.
Practice with your partner as shown below.

가 수업 끝나고 뭐 할 거야?
나 친구하고 게임을 할 거야.

①

②

③

④

⑤

⑥

⑦

⑧

⑨

3 여러분은 오늘 수업이 끝나고 뭐 할 거예요? 이번 주말에 뭐 할 거예요? 친구하고 반말로 이야기해 봐요.
What will you do after school today? What will you do this weekend? Ask each other and respond using informal words.

5

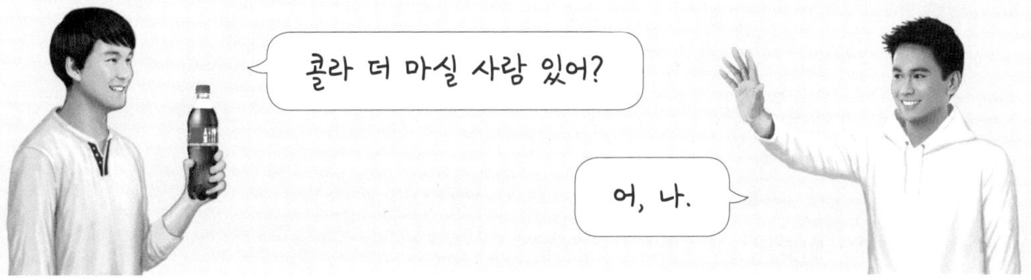

1) 가 지아야, 이게 뭐야?
나 어머니한테 드릴 선물이에요.

2) 가 할 말이 있는데 지금 시간 괜찮아요?
나 네, 이야기하세요.

3) 가 영진아, 이사 갈 집은 찾았어?
나 아니, 아직 못 찾았어.

4) 가 요즘도 책 많이 읽어?
나 아니, 요즘은 바빠서 책 읽을 시간이 별로 없어.

-(으)ㄹ

- 동사에 붙어 뒤에 오는 명사를 수식한다. 그 동작이 앞으로 일어남을 나타낸다.
It is added to the stem of a verb to indicate the action will happen and modify the following noun.

- 자신보다 어리거나 자신과 나이가 같은 한국 사람의 이름을 부를 때는 이름 뒤에 '아', '야'를 붙여요. 외국 사람의 이름 뒤에는 붙이지 않아요.
When calling someone who is younger or the same age, we put 아, 야 after the name. It's not applied to foreign names.
가 하준아, 안녕?
나 응, 지아야. 일찍 왔어?

1 다음과 같이 이야기하세요.

Practice with your partner as shown below.

선물, 친구한테 주다

가 이게 뭐야?

나 친구한테 줄 선물이야.

① 음식, 저녁에 먹다

② 화장품(cosmetics), 친구한테 선물하다

③ 책, 여행 가서 읽다

④ 과자, 친구들하고 먹다

⑤ 볼펜, 모임에서 쓰다

⑥ 정장, 수료식 때 입다

2 여러분은 요즘 바빠요? 외로워요? 얼마나 바쁜지, 얼마나 외로운지 친구하고 이야기해 봐요.

Are you busy these days? Do you feel lonely? Practice with your partner as shown below.

밥을 먹다
게임을 하다
친구를 만나다
집에 전화하다
책을 읽다
음악을 듣다
커피를 마시다
화장실에 가다
……

\+

친구
사람
시간
??

가 요즘 바빠?

나 응, 밥 먹을 시간도 없어.

가 요즘 외로워?

나 응, 같이 밥을 먹을 친구도 없어.

한 번 더 연습해요 Let's practice again

1 다음 대화를 들어 보세요. Listen to the conversation. (102)

1) 하준 씨와 슬기 씨는 요즘 어떻게 지내요? How are Hanjun and Seulgi getting along these days?

2) 두 사람은 무엇에 대해 이야기해요? What do they talk about?

2 다음 대화를 연습해 보세요. Practice the conversations below with your partner.

하준아, 안녕. 오래간만이야.

어, 슬기야. 정말 오랜만이야.

그동안 어떻게 지냈어?

잘 지냈어. 너는 요즘 어떻게 지내?

나는 요즘 취직 준비를 하고 있어.

3 여러분도 이야기해 보세요. Ask each other questions and respond.

	가	나
1)	식당에서 아르바이트를 하다	잘 지내다
2)	이사 갈 집을 찾다	정신없이 바쁘다
3)	대학교 입학 준비를 하다	별일 없다
4)	베트남어를 배우러 다니다	덕분에 잘 지내다

이제 해 봐요 Let's try

들어요

1 다음은 안부를 묻는 두 사람의 대화입니다. 잘 듣고 질문에 답해 보세요. (103)

The conversation is about asking each other questions about how they are doing. Listen carefully and answer the questions.

1) 두 사람은 어떤 관계예요?
What relationships do they have with each other?

① 직장 동료　　② 과 동기　　③ 학교 선후배

2) 들은 내용과 같으면 ○, 틀리면 ✕ 에 표시하세요.
Mark ○ if the statement is true and ✕ if the statement is false.

① 남자는 대학원에 가려고 해요. ○ ✕

② 여자는 그동안 모임에 자주 못 왔어요. ○ ✕

③ 두 사람은 어제 같이 밥을 먹었어요. ○ ✕

말해요

1 1급 때의 반 친구들은 그동안 어떻게 지냈는지 묻고 대답해 보세요.

Ask your Level 1 classmates questions about how they have been doing and respond.

1) 1급이 끝난 후부터 지금까지 어떻게 지냈는지 메모하세요.
Write down how you have been doing since you completed Level 1.

☆ 한국어 공부

☆ 한국 생활

☆

2) 1급 때의 친구들을 만나서 어떻게 지냈는지 묻고 대답하세요.
Meet your Level 1 classmates, ask questions about how they have been doing, and respond.

읽어요

1 **다음은 웨이 씨가 친구하고 주고받은 문자 메시지입니다. 잘 읽고 질문에 답해 보세요.**
The following are text messages Wei exchanged with his friend. Read carefully and answer the questions.

← 알리

웨이, 안녕! 나 알리야^^
그동안 잘 지냈어?
우리 1급 C반 반모임을 하려고 해.
다음 주 금요일 저녁에 시간 있어?
다른 친구들한테도 연락하고 있고,
김 선생님도 오실 거야.

오후 2:33

알리, 오래간만이야!!
너도 잘 지내지?
난 그동안 조금 바빴어.
금요일에는 시간 있어.
빨리 친구들 보고 싶어.
만날 장소는 어디야?

오후 2:37

1) 알리 씨는 왜 문자를 보냈어요?
Why did Ali send a text message?

2) 읽은 내용과 같은 것을 고르세요.
Choose the correct statement.

① 모임은 다음 주 금요일에 할 거예요.

② 웨이 씨는 바빠서 모임에 안 갈 거예요.

써요

1 여러분도 문자 메시지를 보내 보세요.
Send a text message.

1) 1급 때 반 친구 중에서 반말로 문자를 보낼 친구를 생각해 보세요.
Think about who you want to text message among your Level 1 classmates using informal words.

2) 어떤 내용으로 문자를 보낼지 생각해 보세요.
Think about the message you will send.

3) 문자로 보내기 전에 먼저 쓰세요.
Write down a message before texting it.

4) 위에 쓴 내용을 친구한테 문자로 보내세요.
Send a text message to the friend based on your writing.

문화 지칭어·호칭어 Reference & address terms

- **여러분은 한국어에서 사람을 가리킬 때 사용하는 말을 알아요?**
  Do you know the terms used in Korean to refer to someone?

저, 나 are 1st person reference terms.

너 is the 2nd person reference term.

The 3rd person reference terms include 그 애(걔), 그 사람, 그 남자, 그 여자.

Names, positions, or rank terms are also used as reference terms such as 지아 씨, 사장님, 선배.

- **사람을 부를 때는 어떻게 할까요?** How do you call someone?

We usually call someone by his/her name. However, rank terms or positions like 선배님, 사장님 and kinship terms such as 언니, 누나, 오빠, 형 are also used.

- **한국 사람들처럼 다른 사람들을 가리키거나 불러 봐요.**
  Call or refer to someone using these terms as Koreans do.

자기 평가
Self-Check

이번 과 공부는 어땠어요? 별점을 매겨 보세요!
How was this lesson? Please rate it.

오래간만에 만난 친구하고 안부를 묻고 답할 수 있어요?	☆ ☆ ☆ ☆ ☆

정답

6과 가족

들어요

1) ①
2) ②

읽어요

2) 제 이야기를 잘 들어 주시고 언제나 믿어 주셔서
3) ① ✕ ② ✕

7과 여행

들어요

1) ③, ①, ②
2) ③

읽어요

1) 태백에 갔어요.
2) 눈을 처음 봐서

8과 옷 사기

들어요

1) 회색 재킷
2) ① ✕ ② ○

읽어요

1) 여름 치마를 사러 갔어요.
2) 치마가 길고 비싸서
3) 파란색 치마, 싸고 잘 어울려서

9과 축하와 위로

들어요

1) 걱정돼요. (슬퍼요.)
2) ① ○ ② ✕

읽어요

1) 지난주 금요일
2) ① ✕ ② ○ ③ ✕

10과 안부

들어요

1) ③
2) ① ✕ ② ○ ③ ✕

읽어요

1) 반모임 하는 것을 말해 주고 싶어서
2) ①

듣기 지문

6과 가족

061 생각해 봐요

카밀라 가족한테 자주 전화해요?
두엔 네, 자주 해요. 어제도 어머니, 남동생하고 영상 통화를 했어요.

062 한 번 더 연습해요

지아 무함마드 씨는 가족이 어떻게 돼요?
무함마드 아버지, 아내 그리고 아들이 한 명 있어요.
어머니는 제가 어렸을 때 돌아가셨어요.
지아 그래요? 가족이 모두 같이 살아요?
무함마드 아니요, 아버지께서는 이집트에 계세요. 거기에서 작은 식당을 하세요.

063 이제 해 봐요

남 리나 씨는 가족이 어떻게 돼요?
여 할머니, 부모님 그리고 언니가 한 명 있어요. 제가 막내예요.
남 부모님은 어디에서 사세요?
여 전에는 도쿄에서 사셨어요. 그런데 저희 할아버지가 돌아가신 후 할머니가 계시는 고향으로 이사 가셨어요. 1년 전에요.
남 할머니는 건강하세요?
여 네, 건강하세요.

7과 여행

071 생각해 봐요

두엔 다니엘 씨, 방학에 뭐 했어요?
다니엘 저 무함마드 씨하고 제주도에 갔다 왔어요.
바다도 보고 맛있는 음식도 먹고 정말 좋았어요.

072 한 번 더 연습해요

두엔 이건 어디에서 찍은 거예요?
카밀라 쇼핑몰에서 찍은 거예요. 부산 여행 때 가 봤어요.
두엔 부산에서 간 곳 중에서 어디가 가장 좋았어요?
카밀라 바닷가가 제일 좋았어요. 이게 바닷가 사진이에요.
두엔 정말 좋았겠네요.

073 이제 해 봐요

여 웨이 씨, 방학 때 뭐 했어요?
남 친구들하고 라오스에 갔다 왔어요.
여 라오스요? 좋았겠네요. 가서 뭐 했어요?
남 첫째 날은 사원을 구경하고, 유명한 식당에서 라오스 음식을 먹어 봤어요.
그리고 다음 날에는 강으로 갔어요.
여 강에서 수영도 했어요?
남 네, 수영도 하고 사진도 많이 찍었어요.

8과 옷 사기

081 생각해 봐요

점원 어서 오세요, 어떤 옷을 찾으세요?
웨이 티셔츠를 하나 사려고 하는데요.

082 한 번 더 연습해요

점원 어서 오세요. 뭘 찾으세요?
지아 원피스를 하나 사려고 하는데요.
점원 이 노란색 원피스는 어떠세요?
지안 괜찮네요. 입어 봐도 돼요?
점원 네, 입어 보세요.
어떠세요?
지아 이건 저한테 잘 안 어울리는 것 같아요.
다음에 올게요.

083 이제 해 봐요

여 어서 오세요. 어떤 옷을 찾으세요?
남 재킷을 좀 보려고 하는데요.
여 이건 어떠세요? 손님들이 많이 사세요.
남 음, 그건 너무 짧은 것 같아요. 다른 것은 없어요?
여 이 까만색 재킷은 어때요?
남 괜찮은데, 다른 색도 있어요?
여 네, 갈색하고 회색도 있어요.
남 그럼 회색으로 한번 입어 볼게요.
여 어떠세요? 마음에 드세요?
남 네, 이걸로 주세요.

9과 축하와 위로

091 생각해 봐요

카밀라 지아 씨, 생일 축하해요.
지아 고마워요.
웨이 이거 선물이에요.

092 한 번 더 연습해요

다니엘 지아 씨, 무슨 일 있어요? 오늘 기분이 안 좋은 것 같아요.
지아 동생이 감기에 걸렸는데 기침을 많이 하고 잠도 못 자요.
다니엘 어떡해요? 걱정되겠네요.
지아 동생이 빨리 나으면 좋겠어요.

093 이제 해 봐요

남 파티마 씨, 왜 그래요? 무슨 일 있어요?
여 지난주에 면접을 봤는데 떨어졌어요.
남 어떡해요?
여 이번 주에도 다른 면접이 있는데 너무 걱정돼요. 이번에도 한국어 면접이에요.
남 이번에는 잘할 거예요. 걱정하지 마세요.
여 준비를 많이 해서 이번 면접에서는 꼭 합격하면 좋겠어요.

10과 안부

101 생각해 봐요

지아 선배, 회사 일은 어때요? 요즘도 바빠요?
용재 요즘은 별로 안 바빠. 지아 너는 어때?
지아 저는 잘 지내요.

102 한 번 더 연습해요

슬기 하준아, 안녕. 오래간만이야.
하준 어, 슬기야. 정말 오랜만이야.
슬기 그동안 어떻게 지냈어?
하준 잘 지냈어. 너는 요즘 어떻게 지내?
슬기 나는 요즘 취직 준비를 하고 있어.

103 이제 해 봐요

남 선배, 정말 오래간만이에요.
여 그래, 정말 오랜만이네. 잘 지냈지?
남 네. 그런데 선배, 요즘도 많이 바빠요? 모임에도 거의 안 오시고요.
여 그동안 회사 일이 많이 바빴어. 그런데 지난달에 나, 회사 그만두었어. 대학원에 들어가려고 해.
남 그래요? 그럼 이제 학교에서 선배 자주 볼 수 있겠네요.
여 다음 달부터는 매일 도서관에서 공부할 건데, 밥 먹을 사람 없으면 연락해.

발음

7과 비음화

074 1) 가 친구랑 경주에 갔다 왔어요.
나 참 좋았겠네요.
2) 가 밥하고 국 더 먹을래요?
나 밥만 좀 더 주세요.

075 1) 한국말을 더 잘하고 싶어요.
2) 하준 씨는 대학교 삼학년이에요.
3) 봄이라서 경치가 예뻤겠네요.

4) 수업이 끝난 후에 만나요.

5) 요즘 날씨가 참 덥네요.

6) 다른 건 다 있는데 지갑만 없어요.

9과 소리 내어 읽기 2

094

1) 우리 오빠는 지금 한국에 없어요. 미국에서 유학 중이에요. 언어학을 공부하고 있어요. 어렸을 때부터 항상 오빠와 함께 지냈는데 지금 오빠가 옆에 없으니까 많이 보고 싶어요. 미국하고 시간이 달라서 전화하는 것도 힘들어요. 오늘 밤에는 꼭 영상 통화를 하고 잘 거예요.

2) 저는 홍대에 자주 가요. 홍대에는 구경할 것이 많아요. 액세서리 가게도 많고 옷 가게도 많이 있어요. 그리고 맛있는 식당도 많고요. 여러 나라의 다양한 음식을 맛볼 수 있어서 좋아요. 홍대를 좋아하는 제일 큰 이유는 여러 음악을 들을 수 있기 때문이에요. 음악을 들으면서 홍대 거리를 걸으면 아주 행복해요.

어휘 찾아보기 (단원별)

6과

가족

아버지, 어머니, 부모님, 형, 누나, 오빠, 언니, 남동생, 여동생, 남편, 아내, 딸, 아들, 할아버지, 할머니, 삼촌, 고모, 이모, 사촌, 조카, 친척

형제

첫째, 둘째, 셋째, 막내, 혼자, 쌍둥이

경어

드시다, 잡수시다, 주무시다, 계시다, 편찮으시다, 돌아가시다, 댁, 성함, 연세, 분, 말씀

새 단어

저희, 신문, 사장님, 아직, 돕다, 웃다, 믿다, 울다

7과

여행지

산, 강, 호수, 바닷가, 해수욕장, 섬, 폭포, 온천, 미술관, 사원, 절, 성당, 민속촌, 쇼핑몰

새 단어

야경, 야시장, 회, 배, 한복, 경치, 아름답다, 나무

8과

옷

바지, 청바지, 반바지, 치마, 셔츠, 티셔츠, 블라우스, 스웨터, 카디건, 점퍼, 재킷, 코트, 원피스, 정장, 한복, 교복, 속옷

색

빨간색, 파란색, 노란색, 까만색/검은색, 하얀색/흰색, 초록색/녹색, 주황색, 갈색, 남색, 회색, 보라색, 분홍색, 하늘색, 베이지색

새 단어

양말, 어울리다, 맞다, 약속, 또, 나중에

9과

기분 · 감정

행복하다, 기쁘다, 걱정되다, 외롭다, 무섭다, 슬프다, 짜증이 나다, 화가 나다, 기분이 좋다, 기분이 안 좋다, 기분이 나쁘다

축하하는 일

시험을 잘 보다, 장학금을 받다, 시험에 합격하다, 아르바이트를 구하다, 회사에 취직하다, 승진하다, 남자/여자 친구가 생기다, 결혼하다

위로하는 일

시험을 잘 못 보다, 시험에 떨어지다, *발표할 때* 실수하다, *물건*을 잃어버리다, *물건*이 고장 나다, 남자/여자 친구하고 헤어지다, *동생*이 아프다, *할아버지*가 편찮으시다, *할머니*가 돌아가시다, *강아지*가 죽다

새 단어

받다, 그냥, 면접, 걱정하지 마세요, 아마, 글쎄요, 곧, 모든 것

10과

근황

잘 지내다, 별일 없다, 정신없이 바쁘다, 잘 못 지내다

관계

선배, 후배, 과 동기, 반 친구, 룸메이트, 사장님, 직장 상사, 부하 직원, 회사 동료

새 단어

연락하다, 너, 푹, 모임, 오래, 뵈다, 네, 화장품

어휘 찾아보기 (가나다순)

ㅇ

ㅈ

ㅊ

ㅋ

ㅋ

ㅍ

ㅎ

문법 찾아보기

6과

높임말

- 높임말은 문장의 주어가 말하는 사람보다 나이가 많거나 지위가 높을 때 사용한다.
  Honorific forms are used when speaking to someone who is older or in a higher position.
- '-(으)세요'는 주어의 행동이나 상태를 높이는 현재 시제 표현이다.
  -(으)세요 is a present tense ending to show respect toward the subject of the sentence.

동사 형용사	받침 ○	-으세요	읽다 → 읽으세요
	받침 × ㄹ받침	-세요	크다 → 크세요 살다 → 사세요

가 아버지께서는 지금 뭐 하세요?
나 어머니하고 같이 음식을 만드세요.

-(으)셨어요

- '-(으)셨어요'는 주어의 행동이나 상태를 높이는 과거 시제 표현이다.
  -(으)셨어요 is a past tense ending to show respect toward the subject of the sentence.

동사 형용사	받침 ○	-으셨어요	읽다 → 읽으셨어요
	받침 × ㄹ받침	-셨어요	크다 → 크셨어요 살다 → 사셨어요

가 올리버 씨의 어머니께서는 언제부터 한국에서 사셨어요?
나 5년 전부터 한국에 사셨어요.

-(으)실 거예요

- '-(으)실 거예요'는 주어를 높이는 표현으로 앞으로의 계획이나 예정을 나타낸다.
  -(으)실 거예요 is a future tense ending to show respect toward the subject of the sentence.

동사	받침 ○	-으실 거예요	읽다 → 읽으실 거예요
	받침 × ㄹ받침	-실 거예요	오다 → 오실 거예요 만들다 → 만드실 거예요

가 선생님은 오늘 안 오세요?
나 8시쯤 오실 거예요.

-아/어/여 주다/드리다

- 다른 사람에게 도움이 되는 어떤 행동을 함을 나타낸다.
  This means doing a certain act that helps other people. It means doing something for someone.

동사	ㅏ, ㅗ ○	-아 주다	사다 → 사 주다
	ㅏ, ㅗ ×	-어 주다	쓰다 → 써 주다
	하다	-여 주다	하다 → 해 주다

가 저 좀 도와줄 수 있어요?
나 네, 뭐 하면 돼요?

가 여기서 드실 거예요?
나 아니요, 포장해 주세요. 가져갈 거예요.

- '주다'는 행동을 하는 사람을 높일 때는 '주시다'로, 행동을 받는 사람을 높일 때는 '드리다'로 사용한다.
  In the case of the honorific expressions of 주다, 주시다 is an honorific term toward the person who is giving while 드리다 is an honorific term toward the person who is receiving.

할아버지께서 이 시계를 저한테 사 주셨어요.
저는 할아버지께 이 시계를 사 드릴 거예요.

7과

-아/어/여 보다

- 어떤 행동을 경험하거나 시도함을 나타낸다.
  It means the experience of doing something.

동사	ㅏ, ㅗ ○	-아 보다	가다 → 가 보다
	ㅏ, ㅗ ×	-어 보다	먹다 → 먹어 보다 듣다 → 들어 보다
	하다	-여 보다	하다 → 해 보다

가　한국에 가 보고 싶어요.
나　저는 작년에 한국에 가 봤어요. 정말 좋았어요.

-(으)ㄴ

- 동사에 붙어 뒤에 오는 명사를 수식한다. 그 동작이 과거에 일어났음을 나타낸다.
  It is added to the stem of a verb to make past tense and modify the following noun.

동사	받침 ○	-은	읽다 → 읽은
	받침 × ㄹ받침	-ㄴ	보다 → 본 만들다 → 만든

가　어제 본 영화 재미있었어요?
나　아니요, 별로 재미없었어요.

-네요

- 말하는 사람이 새롭게 안 사실임을 나타낸다. 보통 감탄의 의미로 사용한다.
  It means the speaker did not know the information. It usually indicates a spontaneous reaction or realization from the speaker.

동사 형용사	받침 ○	-네요	좋다 → 좋네요
	받침 × ㄹ받침		보다 → 보네요 만들다 → 만드네요

가　어, 밖에 눈이 오네요.
나　정말요?

가　여기 커피 정말 맛있네요.
나　그래서 사람들이 정말 많이 와요.

- 말하는 사람의 즉각적인 추측을 나타낼 때는 '-겠네요'를 사용한다.
  -겠네요 indicates the speaker's guess or inference.

가　이거 먹어 볼래요? 제가 만든 거예요.
나　와, 정말 맛있겠네요. 고마워요.

8과

-는 것 같다/(으)ㄴ 것 같다

- 어떤 사실이나 상태에 대한 추측을 나타낸다.
  It indicates an assumption about a fact or condition.

동사 있다, 없다	받침 ○	-는 것 같다	입다 → 입는 것 같다 재미있다 → 재미있는 것 같다
	받침 × ㄹ받침		자다 → 자는 것 같다 살다 → 사는 것 같다

형용사	받침 ○	-은 것 같다	많다 → 많은 것 같다
	받침 × ㄹ받침	-ㄴ 것 같다	크다 → 큰 것 같다 멀다 → 먼 것 같다

가　영진 씨한테 전화했어요?
나　지금 자는 것 같아요. 전화도 안 받아요.

- 자신의 의견을 겸손하고 부드럽게 이야기할 때 사용하기도 한다.
  It is also used to suggest one's thoughts or opinions in a polite and humble way.

가　이 식당 좀 비싼 것 같아요.
나　맞아요. 그런데 음식이 맛있어요.

-(으)ㄹ게요

- 자신의 결정이나 상대에 대한 약속을 나타낸다.
  It indicates a promise or decision to do something for the listener.

	받침	어미	예
동사	받침 ○	-을게요	먹다 → 먹을게요
	받침 × ㄹ받침	-ㄹ게요	사다 → 살게요 만들다 → 만들게요

가 뭐 마실래요?
나 저는 주스 마실게요.

가 요즘 한국어 공부가 조금 힘들어요.
나 모르는 것이 있으면 제가 가르쳐 줄게요.

9과

-는데/(으)ㄴ데

- 앞의 내용이 뒤의 내용에 대한 상황이나 배경이 됨을 나타낸다.
  It is used when the preceding clause explains the situation or the background of the following clause.

	받침	어미	예
동사 있다, 없다	받침 ○	-는데	있다 → 있는데
	받침 × ㄹ받침		보다 → 보는데 살다 → 사는데

	받침	어미	예
형용사	받침 ○	-은데	많다 → 많은데
	받침 × ㄹ받침	-ㄴ데	행복하다 → 행복한데 힘들다 → 힘든데

가 밖에 비가 오는데 우산이 없어요.
나 그러면 제 차를 타고 같이 가요.

- 앞의 내용이 이미 완료된 동작이나 상태이면 '-았는데/었는데/였는데'를 사용한다.
  When the preceding action or condition has already been completed, -았는데/었는데/였는데 are used.

가 어제 명동에 갔는데 거기에서 영화배우 정우성 씨를 봤어요.
나 정말 좋았겠네요.

-(으)ㄹ 것이다

- 어떤 사실이나 상태에 대한 추측을 나타낸다.
  It indicates the speaker's guess about something or a condition.

	받침	어미	예
동사 형용사	받침 ○	-을 것이다	재미있다 → 재미있을 것이다
	받침 × ㄹ받침	-ㄹ 것이다	오다 → 올 것이다 멀다 → 멀 것이다

가 웨이 씨가 이 선물을 좋아할까요?
나 네, 좋아할 거예요.

10과

반말 1(-아/어/여)

- 반말은 나이가 많은 사람이 나이가 어린 사람한테 또는 나이가 비슷한 친구나 동료 사이에서 사용한다. 대부분의 경우 아래와 같이 '-아요/어요/여요'체에서 '요'를 빼면 반말이 된다.
  Informal speech is used among close friends or peers or to someone younger than you. In most cases, removing 요 from -아요/어요/여요 makes informal words.

-아요/어요/여요	→	-아/어/여
-았어요/었어요/였어요	→	-았어/었어/였어
-지요?	→	-지?
-(으)ㄹ게요	→	-(으)ㄹ게
-(으)ㄹ래요?	→	-(으)ㄹ래?

가 지금 뭐 해?
나 김밥 먹고 있어.
가 맛있어?
나 응, 괜찮아.

가 지금 바빠?
나 아니, 왜?
가 같이 점심 먹으러 갈래? 내가 살게.
나 그래. 좋아.

반말 2(-야)

- '-야'는 '이다', '아니다'에 붙는 반말체 어미이다.
  -야 makes an informal ending when suffixed to 이다, 아니다.

명사	받침 O	이야	학생이다 → 학생이야
	받침 ×	-야	가수다 → 가수야
	아니다	-야	아니다 → 아니야

- 계획이나 예정을 나타내는 '-(으)ㄹ 것이다'의 반말은 '-(으)ㄹ 것이야'지만 일상 대화에서는 '-(으)ㄹ 거야'를 더 많이 사용한다.
  -(으)ㄹ 거야 is used more often as a casual expression for -(으) ㄹ 것이다 that indicates a plan or schedule.

가　시험이 다음 주 금요일이야?
나　다음 주가 아니야. 이번 주 금요일이야.

가　방학에 뭐 할 거야?
나　여행 갈 거야.

-(으)ㄹ

- 동사에 붙어 뒤에 오는 명사를 수식한다. 그 동작이 앞으로 일어남을 나타낸다.
  It is added to the stem of a verb to indicate the action will happen and modify the following noun.

동사	받침 O	-을	먹다 → 먹을
	받침 × ㄹ받침	-ㄹ	가다 → 갈 놀다 → 놀

가　어디 가?
나　집에 먹을 게 없어서 시장에 가.

MEMO

고려대 한국어 2B

English Version

초판 발행	2019년 8월 12일
2판 발행 1쇄	2022년 7월 28일
지은이	고려대학교 한국어센터
펴낸곳	고려대학교출판문화원 www.kupress.com kupress@korea.ac.kr 02841 서울특별시 성북구 안암로 145 Tel 02-3290-4230, 4232 Fax 02-923-6311
유통	한글파크 www.sisabooks.com / hangeul book_korean@sisadream.com 03017 서울시 종로구 자하문로 300 시사빌딩 Tel 1588-1582 Fax 0502-989-9592
일러스트	최주석, 황주리
편집디자인	한글파크
찍은곳	경성문화사
ISBN	979-11-90205-00-9 (세트) 979-11-90205-64-1 04710

값 17,000원

※ 잘못 만들어진 책은 바꿔 드립니다.